● 世界文学名著宝库 ●

· 青少版 ·

王子复仇记

原著：[英] 莎士比亚

改写：阳　光

上海人民美术出版社

图书在版编目（CIP）数据

王子复仇记 /（英）莎士比亚著；阳光改写.
—上海：上海人民美术出版社，2001.3（2007.1第3版）
（世界文学名著宝库）
ISBN 7-5322-2627-1

I. 王…　Ⅱ.①莎…②阳…　Ⅲ. 悲剧-剧本-英国-中世纪-改写本
Ⅳ. I561.33

中国版本图书馆 CIP 数据核字（2004）第 134803 号

王子复仇记——世界文学名著宝库丛书

绘画：吕则龙　效果制作：邓　轩
改写：阳　光　责任编辑：赵琼艳
上海人民美术出版社出版发行
全国新华书店经销　　深圳市鹰达印刷包装有限公司印刷
开本 880×1230　1/32　黑白印张：4.5　彩插：8P
2007 年 1 月第 3 版　2007 年 4 月第 1 次印刷
ISBN 7-5322-2627-1/J·2506
定价：7.80 元

前　言

　　纷纭的大千世界中有鲜花也有毒草，有真、善、美也有假、恶、丑。

　　莎士比亚（1564～1616）英国著名戏剧家和诗人。是16世纪半叶到17世纪初英国最著名的作家，也是欧洲文艺复兴时期人文主义文学的集大成者。

　　《王子复仇记》就是根据莎士比亚的悲剧《哈姆莱特》改编而成的。

　　《哈姆莱特》是莎士比亚最伟大的悲剧之一。它不只是一出复仇悲剧，而且还是一出深刻反映时代面貌和社会矛盾的伟大悲剧。哈姆莱特王子有理想，聪明勇敢。在他的心目中，父王是个贤明的君主，父王的暴死使他感到难以接受。当他知道是叔父克劳狄斯杀害了自己的父亲后，便决心替父报仇。哈姆莱特先后除掉了奸王克劳狄斯的一些亲信，临死前又把克劳狄斯杀死，不仅报了父仇，而且推翻了奸王的统治，可惜他自己也付出了生命的代价，好在有自己满意的福京普拉斯继承了他的王位。因为在哈姆莱特看来，有了贤明的君主，他的人文主义理想就可以实现了。

　　《哈姆莱特》是莎士比亚悲剧的代表作，也是世界文学宝库中一颗耀眼的明珠。这部名著以其巨大的艺术魅力不仅以戏剧的形式征服了亿万观众的心，而且还多次被搬上银幕和屏幕，在世界上放映和播映，受到人们的普遍欢迎。这次我们把它改写成普及性读物，不仅可以让更多的读者欣赏到这部文学名著，而且可以陶冶他们的情操。

编者

2005 年 1 月

目 录

世界文学名著宝库

1 冤魂半夜显灵

"最近城外的哨楼上，每天夜里都闹鬼啊！"

这是一千年以前，发生在北海寒风凛冽的丹麦海滨艾尔西诺城的事情。

哨楼建筑在城外伸向海中坚硬而高耸的岩石上。今天晚上，是由一个胆大而勇武有力的士兵站在哨楼上，目不转睛地监视着大海。

黑暗中，白色的浪花看上去就像魔鬼在那儿张牙舞爪，强劲的海风打耳朵边掠过去，发出凄惨的呼啸，仿佛要把人吹走似的。

"哇！好冷啊！真吃不消。"

哨兵的身子一个劲儿颤抖着，同时，披在身上的盔甲上面的金属品也丁当作响。

接着，他想起哨楼上连日来闹鬼的传闻，因此开始忐忑不安起来。也许是被那令人丧胆的风吹过的缘故，连这个以胆大自负的士兵也抖个不停了。

"像这样风浪很大的夜里，敌人是不会来进攻的，就是敌人的船来了，也没有办法靠岸，要是碰上了暗礁，保险它会碰得粉身碎骨。时间也快到了，下去迎接那位接班的仁兄吧！"

他一边儿自言自语地说着，一边儿把那长矛扛上了肩膀，打哨楼上走下来，一步一步地来到岩石上那狭窄的石阶上。

"谁？"

从下面传来了一声响亮的叫声。

他立刻从肩膀上取下长矛，采取应变的姿势，同时反问道：

"谁？这正是我所要问的话。站住！快报上姓名来！"

"丹麦国王万岁！"马上听到下面有人在这样嚷着。

"丹麦国王万岁！"这句话是他们之间的一种暗号，也就是所谓的"口令"。假如答不出口令的话，那就有嫌疑了，即使是被矛刺死了也无法伸冤的，这是军队里的一种规定。

"啊！那口音的确是少尉。"

"对了，我是少尉。你是岗卫吗？辛苦了。"

少尉说着就要上来了，因此，这个哨兵马上就采用立正的姿势站在那里等候着。

"没有发生什么事吧？"

"是！什么事也没有。因为交班的时候快到了，所以我正准备下来看看。"

"嗯，今天夜里的步哨由我来接替，你可以放心地回去睡觉啦！"

"辛苦你了，少尉。"

这哨兵向少尉行了一个举手礼，然后就自己走下来了。

"噢，等一等！"少尉回过头来叫住了这位将要下班的士兵。

"是！有什么指示吗？"

"真的没有出什么事吗？"少尉不放心似的又重复地问了一句。

"是的，连一只老鼠吵闹的声音都没有。"

"好，我知道了。上面的风很大吧？"

"是的，现在风已经大得不得了啦！"

"唔，老实告诉你，因为谣传每天晚上在这个哨楼上有鬼怪出现，所以今天夜里，我和中尉以及哈姆莱特王子的朋友霍拉旭，约定在此相会，我们三个人要亲自看看那鬼怪是不是会出现。如果你在半路上碰到他们，可以告诉他们我已经在这儿等着哪！"

"遵命……啊！听到啦！听到啦！这个'咚咚'的脚步声一点儿也没有错。你听，不是越来越近了吗？"

"咯咚、咯咚"的鞋子着地声，混杂着刀鞘拖在石头上的声音，以及轻微的谈话声，越来越大了。

·3·

"站住！是谁？"

士兵为了职责所在，等脚步声走近时就这样嚷着，一方面也提起了长矛做预备姿势。

"丹麦国王万岁！"

下面的人所回答的，和刚才少尉所回答的一样。

"好，那么，报上姓名来！"

"霍拉旭。"

"效忠国王的中尉。"

哨兵又恭恭敬敬地敬了一个礼。

"少尉早就在等候着呢！"他说着又敬了一个礼，然后从两个人上来的石阶走下去了。

"噢！霍拉旭先生，中尉阁下，欢迎两位应约而来，辛苦了。"

从黝黑的前方，听到了少尉的声音。

"你已经在那儿了吗？少尉。"霍拉旭回答少尉。

三个人结伴儿向高台上前进。

"啊！好大的风呀！"霍拉旭背向着风吹过来的方向说，"虽然如此，时间已经差不多了，大概鬼怪也快出来了吧？因为来的这三个人都是不怕死的勇士，所以连鬼也害怕起来了！今天夜里恐怕鬼也要告假休息了吧？哈哈哈！"他说着便大着胆子笑了起来。

少尉说道："我和中尉到昨天晚上为止，其实也和霍拉旭阁下一样，哪里肯相信这个世界上会有鬼。可是到昨天晚上就大大地改变了。总而言之，我们带你到昨天晚上看到那奇怪东西的地方去吧！"少尉说着便站了起来，然后往哨楼下边走去。

"就是这儿，坐在这块石头上等着吧！"

因为少尉已经坐在那四四方方的石台上了，跟着另外两个人也并排坐了下来，少尉的眼睛一直凝视着前方，然后用手指着说道：

"霍拉旭阁下，你看！就在那一带，那云和云的缝隙，可以看到那微弱的星光吧！那是北斗七星的第四星，就在那颗星的下边儿。喏！喏！"说着，刚好就在手指的那黑黝黝的地方，忽然闪出微微的亮光，在那儿，可以看到一个模糊的人影。

"咳！出来啦！出来啦！霍拉旭阁下，你瞧那个！你还能再说这是谎话吗？你看不见吗？来了，渐渐朝这边来了呀！"

中尉一边好像用手拂开什么东西似的，一边将脸藏了起来，同时，全身也微微颤抖起来。

"啊！霍拉旭阁下，霍拉旭阁下，你看！那就是鬼呀！"少尉把手搭在霍拉旭的肩膀上，拼命地摇晃着他。

霍拉旭马上就盯住了那个鬼。

于是，那模糊的鬼慢慢地越来越清楚了。他们现在才知道，那鬼正凝视着他们三个人呢！

"哦！原来如此。"霍拉旭深深地叹了一口气，然后才开始说话："我输了，你们的话是正确的。不过，这真是一件令人不可思议的事，一点儿也不错，确确实实是个鬼。"

霍拉旭看到眼前这种事实，再也没有办法和他们争辩了。

"这真是怪事，再也没有比这种事更奇怪的了。真是不能使人相信，但是，又不得不相信，而且……噢！等一等。这个鬼，我好像在什么地方见过呀……啊！对了，那是国王嘛！看他穿着那雄伟的盔甲，就知道他是前些日子死去的先王，样子和他在世的时候威风凛凛出征的雄姿一模一样！"霍拉旭喃喃地说着，不一会儿，便倏地站起身来，向鬼的方向走过去两、三步，手握着刀柄，好像有什么事情似的，大声喊道：

·5·

"谁呀？站在那儿的莫非是鬼吗？还是魔鬼的恶作剧呀？你装扮成先王在世时的模样，每天晚上出来吓人，实在叫人奇怪。或者还有其他的理由吗？有的话快说出来给我们听！答话呀！"

霍拉旭前进了一、两步后，那个鬼飘飘浮浮地朝后面退了过去，同时，影子也越来越淡了，就好像当初出现的时候一样模糊，并且，渐渐像要消失的样子。

"停住！停住！在消失以前，得回答我的话！答话呀！"霍拉旭大声地嚷着，想制止住鬼的消失。结果只是白费口舌而已，鬼就像蜡烛火被吹熄了似的，连影子也看不到了，剩下来的依旧和原来一样，只是一片漆黑。

霍拉旭好像一场噩梦还没有醒过来似的，站在那儿发呆，然后，心里想道：

"我也不能相信这是真的啊！刚才我已经亲眼看到了，那还有什么办法呢？我只能看出他像是死去的国王。可是，先王为什么要用这种鬼的姿态出现呢？真叫人费解。唉！简直把我搞迷糊了。"

霍拉旭想起了先王生前的事情，然后对中尉和少尉说道：

"啊！回忆过去的事情，好像就在眼前。那威风凛凛的英姿……先王身披白色的盔甲，骑着白马，庄严地出现在队伍的前面，然后，和那以刚勇闻名的挪威国王，做一对一的比武……不用说，我们英勇的国王胜利了。因此，挪威王国的领土，一大半并入我国的版图。经过几年以后，挪威王子福京普拉斯等，为了要夺回他们父王所失去的领土，不自量力地召集部属，训练精兵，等待我国防备松懈的时候，举兵攻击，因此，先王显灵或许是要告诫我们，防患于未然，做各种的准备。"

"那是对的，霍拉旭阁下。听说好像是昨天吧！挪威派来了一位使者晋谒我们的新王，说不定就是下战书向我国挑战呢！也许就因为这样，所以先王将御驾亲征时的英姿显现给大家看。"少尉已经把这件事认定了是先王的显灵。

可是，霍拉旭却不以为然，又重新把双手抱了起来，把头歪在一边，好像百思不解的样子。

"不，不！你们所猜的这些事情，都是似是而非的。从前有一位叫做凯撒的英雄，他被反对党的人暗杀刺死在议院里。也许是老天爷对这位伟人的死亡非常怜惜，所以，在他被害的前一天，听说许多已经死去的人，都从坟墓里走出来，在街上乱跑。说不定，我们这个国家会发生比战争更残酷的灾祸！因此，我总是定不下神来。……嘘！别做声。你们看！他又在那个老地方出现了……"

当霍拉旭看到以后，立刻用手指了过去。军官们仔细一看，还是刚才那个鬼。

"停住！别走。假如有话要说的话，就请说。不管是好事，或者是坏事，都没关系，尽管说好啦！"霍拉旭心想，这回绝对不能让他逃掉，因此逼近了过去。

但是，这番话不知道对方听懂了没有，只见那个鬼又飘飘忽忽地向空中而去，并且影子也越来越淡了，好像又要消失的样子。

"把这个鬼喝住，叫它停下来！"

霍拉旭这么一嚷，两位军官"喝"、"喝"两声，都把军刀从刀鞘里拔了出来，警告似的喊道：

"你不怕被斩吗？"

鬼依旧没有答话，因此，两位军官一左一右举起军刀砍了过去。

中尉的刀只是在空中砍了个空，少尉的刀却碰在石壁上，"锵"的一声，火花四溅，而那个鬼的影子，在一阵阴风过后，轻飘飘地浮上空中去了，然后，就像一盏灯被吹熄了似的消失在黑暗中。

三个人十分懊丧地呆望着那个鬼消失的地方。

就在这个当儿，遥远的天空已经泛出鱼肚样的白色了。

霍拉旭把脸转过去向着两位军官说道：

"我想这件事情不必传扬出去，我们只告诉哈姆莱特一个人吧！两位的意见如何？"

"当然很好。那么，就悄悄地报告我们所崇拜的王子吧！你说好不好？少尉。"

"我十分赞成。"

三个人商量妥当以后，深深地呼吸着早晨那柔和而新鲜的空气，跟着就从石阶上走了下来。

可是，鬼为什么每天晚上要在哨楼上出现呢？霍拉旭那样急迫地问，他为什么连话也不回答一句，就消失了呢……

2 悲愤的王子

霍拉旭和两位军官,在哨楼上看到鬼而悄悄回来的那天早晨,城里传来一阵新国王临朝的响亮号声。

王城最高的地方有一个大厅,厅的中央有两张用美丽的宝石所镶成的象牙椅子,那是国王和王后的座位。

丹麦的新国王克劳狄斯,是两个月前突然死去的先王的弟弟。

先王不只是一位英勇而伟大的国王,他对待人民也非常温和,所以非常受百姓的爱戴,他把国家的事情统治得井井有条。

王子哈姆莱特不但聪明,而且学识过人,还非常重情义,因此,丹麦的王室以至于其他的国家,谁都相信丹麦是会安定而繁荣下去的。

但是,世界上的事情往往是不能尽如人意的。

这件事情发生在两个月前的一天:先王因为处理政务,身体感到疲倦,因此走到室外,坐在树荫下打起瞌睡来了。正当这个时候,不知道从什么地方来了一条毒蛇,把正在午睡的国王咬了一口，于是毒液立刻传遍全身，等他的侍卫们发觉的时候，已经太迟了。

丹麦举国上下都为国王的驾崩而悲恸。

以挪威的福京普拉斯为首的那些邻近的国王们，都在虎视眈眈地准备着伺机而动。国家一旦没有国王，说不定会出很大的乱子。

于是，从大臣波洛涅斯起，所有的官员都来开会商讨善后事宜。

虽然一部分具有正义感的武将们，认为应该由王子哈姆莱特继位，才是名正言顺的事。可是，波洛涅斯大臣却主张由克劳狄斯继位，理由是：

"哈姆莱特王子太年轻。在处理对内、对外的各种繁重的国家大事上，只有克劳狄斯继承王位才最适当。"

这样一来，终于决定了由克劳狄斯继承王位。新王克劳狄斯算起来，是哈姆莱特王子的叔叔。

先王是位庄严、英勇而有风度的人。克劳狄斯却是个外貌忠厚、心怀奸恶的人，满肚子尽是些坏主意。

克劳狄斯从接位的那天起，口头上虽然说是对于王兄的驾崩感到十分悲哀，心里却是欢喜得不得了。他召集了左右，从早到晚，甚至有些日子通宵达旦地举行盛大豪华的宴会，尽情饮酒作乐。

今天早晨，他又因为昨天夜里的酒醉还没有醒，摇晃着身体，由侍从们扶着，才坐上那镶有宝石的象牙椅子。

由大臣波洛涅斯为首的许多官员，以国王的好恶为顺序，早已各就各位，在那儿等待国王的训示。

哈姆莱特和母后，也坐到他们自己的位置上。不一会儿，国王抬起了头，向四周看了一下，然后开口说道：

"大家听着！现在有一件关系国家的重大事情要告诉你们，因为先王的英勇而失去了领土的挪威国王的小儿子——福京普拉斯，他大概以为先王死了以后，我们国家就会乱起来，昨天派了一个使节来，叫我们归还他们的土地，假如我们说声'不'，他们就要用武力来讨伐。还说，到那时候，见面的地点恐怕是在战场上。嘿！他们简直胆大妄为，不自量力。我只觉得，百姓们好不容易刚从先王那种血腥四溢的连年战争统治中解放出来，应该让他们享受一点儿太平盛世的安乐日子。没想到，又闹着要打仗了。这怎么能不叫我为人民叹惜呢？"国王堆着满脸的奸笑，然后接着又说：

"我总是想尽量在可能的范围内和他们和平相处，所以，日夜都为这件事绞尽脑汁。现在，我倒想出一个好办法：福京普拉斯这小鬼的叔父，现在正统治挪威边界上一个小小的国家，他是我过去的好朋友，我准备还给他一半的领土，让他下令禁止福京普拉斯军队的行动。这不是一个最好的计策吗？因此，我派了两个使臣前往谒见他。喂！那两个人呢？到前边来！"

克劳狄斯王是听说福京普拉斯也像他父亲那样强悍，所以，还没有交战就先怕得不得了，却拼命不想让别人看出他胆怯的心理。两个使臣走到他的跟前恭恭敬敬地行了一个礼，国王便把一卷写在羊皮上的信，交给了其中一个人。

"这是一份十分重要的差使，你们得好好地完成任务。这封信虽然写得很详细，不过，你们还得随机应变，处理得体才好。"

"国王！请您尽可放心。"

"唔！好，好！祝你们早日完成使命。好好去吧！"

这两个人又毕恭毕敬地行了一个礼，然后才退了下去。

"喂！波洛涅斯的儿子雷盖兹呀！听说你有什么事情要来恳求我是吗？什么事呀？可以说给我听听看吗？我和你父亲，并不是像君臣之间的那种关系，虽然是亲戚，其实比亲兄弟还要亲密哩！知道了吧？雷盖兹。"国王很兴奋地向着这位看上去很有出息的青年说。

青年好像下了很大的决心似的，抬起了他那白皙的脸说道：

"我想要求国王允许我回到法国去。我是为了参加国王的登基大典而来的。我的任务到此已经完毕。因为我还有很多事情丢在那儿没有办，所以，无论如何请国王准许我的请求。"

"如果有很多事情必须等你回去处理，那就不必在这儿多逗留啦！好吧，让你回法国去也好。但是，光是我答应也不成呀！主要是要看你的父亲波洛涅斯对于这件事情有什么样的看法了！"国王说完这话，调过脸去看了一看坐在身旁的大臣波洛涅斯。那胸前垂着白胡子的老人——波洛涅斯离开了座位，站起来行了一个礼，随即以恳求的口吻说道：

"不知道他为什么会那么喜欢法国，这小鬼睡觉的时候也好像都在做着到法国去的美梦。连我也被他这种热忱感动，终于答应了他的请求。国王！您就让他到法国去吧！"

"好了，好了。雷盖兹！那么，你什么时候高兴，就什么时候出发好啦！"

雷盖兹一听到允许他去法国，就很高兴地告退出去了。

"噢！站在那边的哈姆莱特呀！你走过来一点儿！"国王装出一脸笑，向站在远处的哈姆莱特王子招手。

"自从王兄去世以后，你就是我哥哥留下的惟一命根子，对我来说也是最亲的侄儿。现在，我虽然继承了王位，但我却没有子女。所以，将来这个王位迟早是你的。从这点来说，你已经不是我的侄儿，而是我的继承人，也可以说是我的王子了，我是真心把你当做我亲生儿子一样看待的啊！"国王很会说话，哈姆莱特王子只是低下头露出很为难的神色，听着他这番甜言蜜语。

"哈姆莱特，你怎么啦？看上去好像一点儿精神也没有，脸色又那么苍白。你看我对你那么关心，把你看成是我自己的孩子那么关心。假如你有什么心思，可以坦白告诉我，让我来帮助你解决，不要老是那么愁眉苦脸的。"国王越是说些讨好的话，哈姆莱特王子越觉得肉麻、可笑。但是，在这种情形之下，也只有忍耐。

"噢！你可能还在念念不忘死去的父王。那也难怪！一个做儿子的，当他父亲去世以后，当然是万分悲伤的。你这番孝心使我非常感动，这才是真正的父子之情。不过，也不必过分伤心，总要有分寸的呀！"国王的话渐渐带着点儿责备的口吻，然后继续说道：

"假如你因为过度的悲伤而损坏了自己的健康，这不但不是孝顺，简直可以算是不孝了。我想，这一定不是在天堂上遥望人间的先王所愿意的。就像你丧失了父亲一样，当年，你父亲也曾丧失过父亲呀！为人子者最大的孝行，是如何继承先业，使它发扬光大，并且还要使自己成为一个伟大的人。对不对？你们大家说是不是？"克劳狄斯王说着，同时，把眼睛向左右的部属看了一下。

"那是的的确确的至理名言，一点儿也没有错。"波洛涅斯和其他的官员，都异口同声地赞成国王刚才的这一番话。

"哈姆莱特呀！你听到了吗？大家不是都认为很对吗？以后，要把对父王的事想开一点儿，提起精神来，恢复快快乐乐的笑容。还有，听说你要回到城外的大学，是吗？那可不行呀！你是一国的王子，如果离开自己的国家很远，我和王后，还有大臣们，都会为你担心的呀！你知道吗？"

"是的，我知道。"

"那么，你愿意留在王城里啦？"

"是的。"哈姆莱特王子好不容易才回答了这么一句。

国王听了他这样回答以后，又向大家看了看，接着又说：

"心地善良的哈姆莱特，既然服从了我的话，愿意永远留在这王城里，大家都满足了吧！我也非常高兴。这样一来，丹麦的王族也永远万世一系地不断了。那么，今天大家就来庆祝一番吧！快把准备好的酒菜拿到这儿来！"不一会儿，就从隔壁的房间里送来香喷喷的酒、烤好了的整只小牛，以及鱼、水果，还有其他各色各样的山珍海味，一样一样地端了上来。

首先是国王，在大得出奇的金酒杯里斟满了一杯酒，其余的人也都依职位的高低，按次序斟上了酒，然后大家站起身来，举起酒杯同声高呼：

"国王万岁！"

"哈姆莱特王子万岁！"

接着，各人举起酒杯一饮而尽。

但是，只有王子一个人，他的酒杯里虽然也斟着满满的酒，他却连手也没有碰上一碰，只是一直在沉思着。

王子突然深深地叹了一口气。这时候，其余的人都在开怀畅饮，而且越来越兴奋了。

喝酒的声音、吃东西的声音、碰杯子的声音、喧嚷笑闹的声音、歌唱的声音，越来越不成体统。于是，王子趁大家闹得正起劲的时候，悄悄地离开了大厅。

在大厅饮酒作乐的那些人，都好像发了疯似的大叫大闹。虽然这种声音渐渐远了，但是，却从那作战时做射箭用的小窗子里，传来了北海汹涌的浪涛声。

王子在那小窗口旁边站了一会儿，听那海浪的声音。

"哈姆莱特王子殿下，您也到这里来了吗？"

"咦？是你？霍拉旭！"王子没想到竟会是同学在叫他。

"是的。一点儿也不错，我正是霍拉旭。"

"我以为你还在学校里呢！什么时候回到这里来的？为什么回来不立刻告诉我呀？"

"是昨天回来的。因为昨天晚上搞了一个通宵，刚刚起床不久，为了想要见您，所以赶紧来这里……"霍拉旭说着说着，忽然注意到王子这副消瘦的面孔，像是换了一个人似的，不禁吃了一惊，心里难过得连话也说不出来，只是静静地凝视着王子的脸。

"霍拉旭！话真不知道该从什么地方说起才好。在这段和你分离不太久的时间里，世界上的事情可完全变了呀！

"我们这个国家，连人心都变了！喏，听到了吗？这是从宫里的大厅传出来的……那些醉鬼，一天到晚总是这样胡闹着。庄严的艾尔西诺王城的王宫，曾几何时，竟变成了这么荒唐的地方！唉！要是父王在世的话……"王子深深地叹了一口气，同时，还用双手捧着头。

对王子非常了解的霍拉旭，正在考虑，是在这儿和王子谈呢，还是等下次有机会再和王子说呢？可是，一会儿，他好像下了最大的决心似的，挨近到哈姆莱特王子的身旁。

"哈姆莱特殿下，您刚才说再也不会见到的那个人，我昨天夜里却看见了呀！"

也许霍拉旭这番话过分的出人意外，王子没能立即了解他的意思，所以感到有点儿莫名其妙。

"你所看到的是谁呀？请再说清楚一点儿好吗？"

霍拉旭便把嘴巴凑到王子的耳朵边，轻轻地说：

"是您的父王！我看到先王啦！"

王子一听这话，立刻向后退了一步，目不转睛地盯着霍拉旭的脸，然后气喘吁吁地说：

"霍拉旭，连你也在开我的玩笑吗？请别拿我开玩笑好吧！我现在没有时间来跟你谈这些。你的神经错乱了吗？先王已经不在这个世界上了，他已经埋在坟墓底下两个月啦！如果说他又出现在这个世界上，那我是不会相信的。"

霍拉旭知道王子误会了，于是慌忙解释道：

"王子！请等一等。这也难怪您生气。但是，我并没有说谎，跟我一起看见先王的，另外还有两个人，这两个人马上也会到这儿来的。等这两个证人来了以后，再把详细的情况告诉您吧！"

王子听到好朋友霍拉旭这样自信地说，也就不完全认为是一种谎言了。

"好！那么，就等候那两位证人来了以后再说吧！"

等了大概有十分钟，中尉和少尉两个人就一块儿出现了。

"霍拉旭阁下，你早就到这里了吗？"

"王子殿下，您也……"

两位军官恭恭敬敬地向哈姆莱特王子和霍拉旭打了个招呼。

"噢！你们两个人来得正好。我刚才已经把昨天夜里那奇怪的事报告王子了。但是，王子似乎不太相信，所以我请你们替我做证。现在，我把当时的情形说一遍，如果有不清楚的地方，请你们两位再补充一下。"

两位军官点了点头，然后，大家把眼睛向四周围看了一下，并且又走到门口看看是不是有人在偷听。

"王子殿下，请慢慢听我向您报告！昨天我回城以后，才听这两位朋友谈起闹鬼的事情。起初，我也和您一样，根本就不相信有这种事情，可是，他们两人硬说是曾经亲眼看见。因为光用嘴巴在那儿争论是永远得不到结论的，不如提出证据来，免得大家相互争论。于是，就决定一块儿去看个究竟。"王子听到了霍拉旭这番话，不自觉地把身体凑了过来。

"哦！那是在哪儿？"

·17·

"在外边高台的哨楼上。时间是在半夜过后到天亮的这一段时间……"接着，霍拉旭便把昨天夜里所看到的情形，从头到尾讲给哈姆莱特王子听。哈姆莱特王子也一直侧着头静听霍拉旭的话。听完以后，便对旁边的两位军官问道：

"你们两个人也听到了吧？霍拉旭刚才所说的话没有错吗？"

"事实和他所说的一样。"

"一点儿也不错。"两位军官异口同声地回答。

"这些话越听越觉得奇怪，的确叫人想相信也无法相信。你们今天晚上是不是还愿意再去看一看呢？"

"假如王子有意思叫我们去，我们当然愿意去。"霍拉旭一面回答，一面侧过脸去看了一下两位军官，他们也点头表示同意。

"鬼所穿的是全副盔甲吗？"

"是的。"

"面孔看得很清楚喽？你们能断定那就是父王吗？"

"的确是的。"霍拉旭斩钉截铁地回答。

王子抱着两只手，闭起眼睛，想了一阵，说道：

"今儿夜里我也加入，和你们一起到哨楼上去守夜放哨。"

"殿下，您……那不是有失您的身份了吗？"少尉为了怕遭到别人的批评，所以，不由得从嘴里滑出了这句话。

"哪有什么失身份不失身份的？做儿子的要去会见父亲，还有什么不对的吗？还有，假如是什么鬼怪假扮父王的容貌，另有什么企图的话，我也不能坐视不管呀！总而言之，我要用我自己的这双眼睛，亲自看到才相信。不过，我对三位有一个要求：这桩事不管发展到什么程度，可不要向其他任何人泄漏啊……"

"是！知道了。请您放心，无论在任何情况下，绝不会向任何人说的。"

"为了王子，我们是连生命也不惜牺牲的。"

"即使粉身碎骨，也不会泄漏出去的。"

王子听了他们三个人这一番忠心耿耿的话，脸上不觉浮起了微笑。

"谢谢各位！我想只有你们三位才是我的心腹。那么，今儿夜里十一点在高台入口的地方会合吧！"

"好的，殿下，我们就在那个时候见吧！"

3 父与子

"啊！为什么今天时间过得那么慢呢？为什么天还不黑呢？"

和霍拉旭他们所约定的是十一点，这一段时间，对王子来说，简直是度日如年，那种焦躁的情形真是有生以来的第一次。

因为听说高台上很冷，王子便穿上了羊皮背心，上面罩上一件短铠衫，另外把父王赐的那把用宝石镶成像十字架似的长剑佩在腰间，看上去真是一位威风十足的武士。他的头上并没有戴钢盔，把头发披在后面，连佣人也没有吩咐一声，便悄悄离开了房间。

今天晚上好像有点儿奇怪，天上没有一点星光，一阵大雨之后，月亮从云缝里透出微弱而凄凉的光来。

王子因为是在这个城里长大的，所以每一处地方都十分熟悉，他数着石阶的数目，一直向着高台方向急奔过去。

霍拉旭已经站在高台的石阶下等候了。

"是王子殿下吗？"

"你是霍拉旭！辛苦了。"

"两位军官也早就来了。"

"啊！很好，很好。那么，就上去吧！"

霍拉旭将王子带到昨天晚上他们三个人所坐的那块地方。

墙壁的影子遮住那仅有的微弱月光，使他们四个人伸手不见五指。

四个人一声不响，屏住气息，静等着鬼的出现。王子连眼睛也不眨一下，紧盯住那鬼出现的地方。可是等了好半天，什么也没看到。因此，霍拉旭等三个人的话，不得不使王子怀疑起来。

"现在几点钟了？"王子等得不耐烦地问。

"我想大概快十二点了。"霍拉旭说。

一会儿，哨楼上面微微地亮了起来。

"噢！那边！那边！请您快看那边。哈姆莱特殿下！"少尉一面嚷着，一面指手画脚地指给哈姆莱特王子看。当王子以奇异而疑惑的眼光，随着少尉所指的方向望过去的时候，看见一个人影隐约浮现在半空中。

那个人影渐渐明显起来，而且慢慢地向这边飘了过来。

王子倏然站起身来，用手紧紧地握住剑柄，挺直了身体，双眼盯住鬼出现的方向。

的确和霍拉旭所说的完全一样。全身披着盔甲，黑白相间的胡须垂在胸前，一双悲愤的眼睛紧盯住这边，那就是王子的父亲——前丹麦国王老哈姆莱特。

"啊！父王！我日夜都在想念您，我是哈姆莱特呀！"说着，王子便向前靠近了几步。但是，他们之间的距离，并没有因为王子的前进而接近，仍旧是和当初一样的远。

"父王！哈姆莱特在这儿呀！您不会是把我忘记了吧？您

开口呀！您为什么不说话呀？您每天夜里在这儿出现，一定有什么话要说吧？"

黑色的浮云散了，这时候，皎洁的月光照耀着大地，也把那盔甲上银白色的金属品照得闪闪发光。

任凭王子怎样和他说话，可是，那鬼只是瞪着眼睛，一言不发。于是，王子的身上就好像被浇上一盆冷水似的，开始颤抖起来。

鬼抬起那被盔甲遮住的手，向哈姆莱特打招呼。

"喔！在叫您，在叫您！哈姆莱特殿下，他在叫您哩！"霍拉旭抬起他那被月亮照得苍白的面孔说。这时候，中尉和少尉两个人也跑到王子的跟前来。

"不能去，绝对不能去！"少尉上去抓住王子的剑鞘，中尉则站在王子的身前挡住他前进。

·21·

"让开！父王叫我去，一定是有话要和我谈。不要阻挠我！"王子不听他们两人的劝阻，挣扎着想走过去。

"不行，不行。——霍拉旭阁下，你呆在那边做什么？还不赶快来劝阻殿下。"

于是，霍拉旭也连忙赶了过来，拉住王子的手腕说：

"殿下，说不定他会把您从哨楼的边缘推下大海呢！这可不是好玩的事呀！"

"对了，这说不定是魔鬼的化身，假扮成先王的样子，而要来加害您的呀！"

王子好像不愿意听从他们的话似的，拼命地挣扎，同时说道：

"喂！快放手，别揪着我。还不放手吗？你们要想阻止我们父子的谈话吗？放开！放开！"王子好不容易挣脱了三个人的拦阻，踏着石级向鬼的方向走了过去。

王子走到哨楼的尽头，大概还只有十公尺的光景，便是千丈悬崖。下面那汹涌的海浪打在岩石上，激起了无数的浪花，在月光照射之下，更显得耀眼。

"究竟要走到什么地方为止呢？倘若再向前走去的话，便要从哨楼掉下去了，那我不是要粉身碎骨了吗？"王子停下了脚步问鬼。

这个时候，鬼开口了，声音非常微弱，但是语调却很沉重。

"听着吧！哈姆莱特。"远处传出这么一阵微弱的声音。

哈姆莱特王子不觉双膝跪在石头上。

"父王！父王！好的。您请说吧！"

"好，说给你听。不过，听了以后，可得发誓替爸爸报仇呀！"这庄严的声音，使王子全身不寒而栗。

"父王！请您告诉我，请您详详细细地告诉我吧！"

"哈姆莱特……爸爸是被人谋害而死的。过去因为太信任他们了，没有想到竟会遭到他们的毒手。"

王子听了这番话，就好像是当头一棒，把他打得头昏眼花，当场像要昏倒下去的样子。但是，他还是振作起精神，一心一意地注视着父王的阴影。

"您不是在院子里睡午觉的时候，被毒蛇咬死的吗？"

"他故意放出这种烟幕，欺骗了全丹麦的人民，甚至连你也在内。那个杀人的凶手，现在他已戴上了王冠。"

"啊！原来就是……叔父！他想抢夺父王的王位而下手。"

王子的胸中立刻涌上一股强烈的愤怒，紧握着的拳头也不住地颤抖起来。

"一点儿也不错。我的弟弟早就存心篡位，他一直在等待机会的到来。那天下午，我因为太累了，不觉睡着了。你的叔父趁我熟睡的时候潜到后园，从怀中掏出早就准备好的满盛着毒药的小瓶子，一滴、两滴地滴在我的耳朵里。猛烈的毒药，立刻遍布我的全身，我就不得不这样睡着死去了。现在你明白我不幸的遭遇了吧？——哈姆莱特，可爱的儿子呀！使我怀念的儿子呀！我一心想把我的遭遇告诉你，所以，每夜，每夜出现在这里，因而吓坏了许多人，今夜总算达到我的目的了。啊！真使我高兴！真使我欣慰！我的心里也因此觉得踏实多了。"

先王的亡灵说完了以后，好像非常愉快，便露出了微笑，频频地点头，他的影子也随着渐渐地淡薄起来。

"父王！父王！请您再让我见您一面吧！"

王子张开双臂，像是要去搂住影子，表示出依依不舍、不忍分离的样子。

"请安心，父王！这个深仇我一定会替您报的。这种罪大恶极的坏人，怎么可以让他活下去呢？"

父王的亡灵消失了以后，王子对霍拉旭等三人说道：

"正如你们所想像的，他确实是先王的亡灵。我的脑袋像风车一般地转个不停，根本失去了思考的能力。现在我必须对你们声明，刚才在这个哨楼上所发生的事情，不论是谁，都不能让他知道。即使是如你三位，我一样不能告诉你们。请原谅我！同时，希望你们不要责怪我！还有一件事，就是白天我已经告诉过你们的，今天晚上的事情，不准对任何人提起。"

"这一点，请您放心好了！我们三个人好像王子殿下的手和足一般，对于您的命令，是绝对服从的。是不是？两位军官！"

"正如霍拉旭阁下所说的，我们绝对服从！"

"好极了！那么，就此分手吧！四个人一起走下去，恐怕会引起别人的怀疑。一个、一个，尽可能避免引人注意。回城去吧！"

"那么，原谅我先走一步。再见！"

霍拉旭、中尉、少尉，先后一个一个向王子告别，朝哨楼的下面离去。

最后，剩下王子一个人了。

"父王！父王！"

王子再次竭尽力气大声叫喊，可是，回答他的却只有波浪的声音和风的呼啸。

"父王的灵魂如果还逗留在这附近的话，请听我说：父王的仇，绝对由我哈姆莱特来报，我可以当着这把宝剑再次起誓。"

王子说着，把手按在剑柄上，用满含泪水的眼睛，凝视着在云堆里钻进钻出的明月。

4 别离设家宴

大臣波洛涅斯的公子雷盖兹，因为得到了国王的允许准他回到法国去，心里非常欢喜，高兴得一直往城内自己的家里跑去。

"好啦！好啦！我总算得救了。如果再呆在这个暮气沉沉、乌烟瘴气的丹麦，我的生命和一切的一切都将萎靡。不过，我的父亲和妹妹奥菲利娅还得继续过着这种可怜的日子。尤其是父亲波洛涅斯，仍须在这石牢一般的王城里，日夜陪着酗酒的国王过活，更加可怜。

"现在，我可以回到法国去了，简直太美啦！那边的天空是蔚蓝而晴朗的，树木碧绿，上面有不少的小鸟唱着美妙的歌曲。啊！法国真是天上的乐园呀！"

他在回家的路上，一边走着，一边想："对了，我应该把这件事告诉妹妹。"

走进妹妹的房间，他的妹妹奥菲利娅正坐在窗口边一把木椅上，梳着金黄色的秀发。

她知道她的哥哥雷盖兹进来了，就缓缓地转过头去。

奥菲利娅有着一对像湖水一般清澈而神秘的眼睛，和一副美得像含苞待放的蔷薇的笑靥，她像白色百合花一般的美丽，即使把她带到法国巴黎的王宫去，也不会输给任何一个法国美女！雷盖兹觉得自己的妹妹是世界上最美丽的少女，因而沾沾自喜。

"向你道别的时间终于迫近了，聚首只有今天晚上了。妹妹呀！我觉得非常难过，因为我们只有兄妹两人，而现在又不得不分离。希望你每当有船开往法国去的时候，可不要忘记给我写信呀！"

"哥哥，您是说今天晚上我们就要分离……"

奥菲利娅早已热泪盈眶了。

"是的，因为国王已经准许了我的旅行，而且，刚刚有人来告诉我，船明天一早就要开了。如果错过了这个机会，下次的船可能要一个月以后，甚至两个月以后才会有的呀！"

"我一定会写信给哥哥的，希望哥哥也不要忘记时常写信给我呀！"

"一定会写的，一定会写的。我会详细告诉你巴黎的情形。如果有便人的话，我还会托他带些最流行、最时髦的物品送给你。"

"不，这些东西我倒不怎么希望得到。我只是想知道哥哥在那边的生活情形。"

过去雷盖兹也常常出外旅行的，可是从来没有一次像今天那样，临到出发的时候，对于父亲和妹妹从心坎里涌上一种依依不舍和不放心的感觉。

不知道什么原因，雷盖兹对哈姆莱特王子抱着一种不安的感觉：总觉得王子近来的态度，好像对新王克劳狄斯抱着敌意。

那么，同时也一定对反对将王位让给王子继承、而拥护克劳狄斯即位的父亲——波洛涅斯怀着憎恨。既憎恨其父，也一定会憎恨其子和其女，那是不难想像的。可是，最近这位王子时常来到波洛涅斯的家里，找奥菲利娅聊天，王子的真正用意何在？这些虽然没法立刻证实，不过，可能是隐藏着深远的计谋，说不定想一举把我们这一族消灭掉。

雷盖兹一想到这里，对于自己离开以后的家，更加觉得不放心。

·27·

"亲爱的妹妹，听说最近那位哈姆莱特王子时常来找你聊天，是吗？"

"是的，可不是每天来嘛！"

"你们都谈些什么呢？"

"谈些什么……还不是天南地北的胡乱谈谈而已。有时候谈谈有关插花和钓鱼的事，有时候也谈谈哲学等等。"

"哼！他有没有问过你有关父亲的事，或者我的事情呢？"

"从来没有。"

"我要告诉你，亲爱的妹妹呀！你可要特别提高警觉，那位哈姆莱特王子是我们家的敌人，是可怕的敌人。"

"哥哥，您怎么讲这种话呀！您一定弄错了，王子是一位心地善良的好人。"

"可怜的妹妹呀！你必须当心，王子哪里是个心地善良的人，他是个戴着善良的假面具，而内心狠毒如恶魔的大坏人。你还不怎么懂世故，一定会上他的当、受他的骗的。"

"您的话，我实在不能相信。"

"嫡亲哥哥的话，应该信任才对。你还年轻，什么都还不懂。"

"您的话，我会把它记在心上的。"

贤淑的奥菲利娅不愿意再顶撞她的哥哥了。就在那个时候，有一阵轻微的脚步声传了过来。

"占去你好多时间了。好像父亲回来了，他一定会到我的房间去找我的，那么，我要走了。妹妹！等一会儿我们再碰面，不过，我希望你一切多加注意，尤其是要保重身体。"

"我会照顾自己的。哥哥您放心好了！"

奥菲利娅送她的哥哥走出房间。

"爸爸！"

走到走廊上，雷盖兹朝着他父亲的背影喊。

驼背的老人波洛涅斯停了下来，然后慢慢转过身来。

波洛涅斯以慈爱的眼光注视着他的儿子有好大一会儿。

"噢，原来你站在那里。"

他等雷盖兹靠近身边以后，便和他并排着走。

"听说船明天早上就要开了。"

"是的。"

"祝你一帆风顺，把未了的事情办完以后，要立刻回家，不要忘记艾尔西诺城，还有你年老的父亲和幼弱的妹妹在等着你回来。不会忘记吧？"

毕竟是父子之情，临别依依难舍，老人的眼睛早已充满了泪水。

"爸爸！"雷盖兹紧握着父亲的手大声喊。

"我对您说是因为有些事情没有办完，必须回去。其实，这不是真正的目的。我的真意是想到法国学习武艺，将来成为一个有名望的武士。请您等到我学成之日再见面吧！"

他对父亲表明了心迹。

"噢，真使我兴奋。唉，对了！你顺便告诉佣人，今天晚上准备家宴为你饯行。我去看一看奥菲利娅！"

"爸爸，等一会儿再见！"

雷盖兹站起来走向自己的房间。

"可爱的奥菲利娅，你的哥哥雷盖兹曾对你说些什么话没有？"

"有的。他讲了关于王子哈姆莱特殿下的事……"

"噢！毕竟是我的儿子，聪明过人。雷盖兹，真想不到你已经察觉到这一点了……那么，雷盖兹怎么讲的呢？"

"哥哥这人也真是的。他说了许许多多王子殿下的坏话，我想一定是哥哥错怪了好人。"

"越听越有趣。雷盖兹讲些什么话哪？"

"他说王子殿下是我们家的仇人，想消灭爸爸和哥哥，所以经常跑到这里来探察，我们对他要格外当心……"

"噢！我的好儿子，他真细心，连这个也被他看透了。的确是个不可多得的人才。我能有这么聪明的儿子，已经心满意足了。"

"对于那位正在伤心的王子殿下，我以为爸爸一定会同情他，而反对哥哥的看法……然而，爸爸竟也赞同哥哥的话！王子殿下太可怜了！"

富于同情心的奥菲利娅，认为这样太委屈王子了，竟伤心得双手掩脸哭了起来。

"你哥哥讲的话，没有一句是不对的。你就像婴儿一样的幼稚，如果不听我们的话，将来会遭遇到不幸的命运。"

"我现在告诉你，从今以后，哈姆莱特王子如果再来找你的话，你就叫佣人告诉他，说你身体不舒服不能和他见面。你和王子非但不可以聊天，连见面也不准。这是我的命令，懂吗？"

波洛涅斯以严峻的态度命令奥菲利娅。

奥菲利娅哭得两只眼睛都红了，因为她是个非常孝顺的女儿，对于父亲的命令，绝不敢违背，更不用说顶嘴了。

"我听从爸爸的教训。"

她恭恭敬敬地对父亲行了一个礼。

波洛涅斯走了以后，奥菲利娅的内心里，对于父亲和哥哥所讲的话，无论如何，总觉得毫无道理。

老哈姆莱特先王驾崩的时候，丹麦的国民全都深信王子哈姆莱特一定会继承王位的。

奥菲利娅本人也这么想过。

可是，事实却不然，因为从旁杀出一个先王的弟弟克劳狄斯来，将王位夺了过去。

这一定是大臣波洛涅斯和新王克劳狄斯两个人的阴谋，不久将会成为丹麦动乱的祸根。

这样的传说连奥菲利娅也听到了。这个传说，奥菲利娅认为也许不是谎言，这么一想，她更加觉得伤心起来了。

一看到面带忧愁、沉思默想的哈姆莱特王子，奥菲利娅就觉得他非常可怜，非常值得同情。一想到使王子陷于悲惨境地的人，竟是自己的父亲波洛涅斯的时候，奥菲利娅的心难过得阵阵绞痛。她想，如果以自己的力量，能够稍微安慰他，使他得到少许快乐的话，也许可以补偿他的损失，而同时又可以减轻父亲的罪过。

可是，连这么一个愿望，父亲和哥哥也不准许她做。

"啊！我怎么办好呢？为什么父亲要误解王子？为什么要对那样仁慈、亲切、高尚的王子加以种种辱骂呢？"

这样一想，奥菲利娅对于现在这种被父兄所钟爱，有许多佣人供她驱使的过着无忧无虑的大臣千金生活，觉得一点儿也不幸福，反而十分厌恶。

当内心在悲伤的时候，她总会想到死去的慈爱母亲。如果慈爱的母亲还在世的话，相信父亲的心绝不会变得这么顽固而险恶。

奥菲利娅明知想也无益，死去的母亲绝不会再回来安慰她、爱抚她，可是，她还是一次又一次地在心里想着。她从窗口望着即将下雨的远处天空，不知不觉地两行热泪沿着面颊流了下来，一滴又一滴地掉在膝盖上面。

四周笼罩上了一层暗幕。

奥菲利娅好像想起了什么似的立刻站了起来。

今夜，她必须指挥佣人们准备为哥哥饯别宴会的菜肴。

"我不应该太消极，还是提起精神来要紧！"

奥菲利娅这么一想，就按了一下铃叫佣人。

5 王子发疯

　　丹麦王国的艾尔西诺城，哨楼闹鬼的事件虽然人们早已忘记了，连提起它的人也没有。可是，全国人民希望所系的哈姆莱特王子竟然发疯了。

　　郊区的居民虽然还不太清楚，只有少许的人们以半信半疑的态度谈论着，可是这在城里却早已成为无人不知的事实了，大家争相窃议着这件事。

　　"我想他绝对不会发疯的。他的学问好，武艺又棒，可以说没有一样不精通。那样伶俐聪颖的王子，哪会这么容易就发疯呢？简直是不能相信。如果真的有神经失常的行为，那么，也一定是另有原因而假装的。"

　　有的人，就好像他是王子肚子里的蛔虫一样，满有自信地这样说。

　　"不！我认为是真的发疯了。我曾经注意到王子所说的话、所做的事，像小孩子一样的幼稚，哪里会是假装的，一定是真正的疯了。"

持这种主张的人更多，他们确认王子是真正疯了。

奥菲利娅是不相信王子会真的发疯的人之一。

她非常同情王子，心想王子如果不假装疯子，就会痛苦得连活都活不下去的。她时常为此而暗暗落泪。

因为她的父亲波洛涅斯曾经命令过她，不准她再和王子见面，谈话更说不到了，所以，她根本无法安慰王子。

"王子殿下说不定会生我的气，可能还会怨恨我，甚至于蔑视我也未可知。"

奥菲利娅今天又独自一个人想着，忽然，她觉得有个影子遮住了光线。

·33·

奥菲利娅惊讶地回过头来，想瞧瞧究竟是谁。站在她背后默默俯视着她的影子，原来正是她刚刚还在怀念着的王子，他竟没有经过通报而悄悄闯进房里来了。

"啊！王子殿下！您怎么……"

奥菲利娅因为惊慌过度，她的话说到中途就停顿住了，只是瞪着眼睛望着王子发愣。

平时衣冠整齐的王子，今天竟连上衣的钮扣也全部没有扣，袒露着胸脯，非常不雅观。而且，也没有戴帽子，头发蓬乱地垂到额角，满布红丝的眼睛呆滞，直瞪着奥菲利娅的脸，好像要看透她的心一般。他穿着一条破烂而沾满泥土的裤子，袜子的扣带也松脱得吊在袜子上摇晃着。

王子的嘴唇蠕动了一下，像是在对她说话，可是却听不出他在说什么。

然后，王子突然伸手将奥菲利娅的手腕紧紧抓住，仍然像看一件奇异的东西似的，默默地凝视着奥菲利娅的眼睛有好一会儿。

过后，王子把她的手轻轻地摇了几下，又把自己的脑袋上下摇了三次，然后叹了一口长长的气，这个叹息好像发自内心的深处。

听了王子深深的叹息声，奥菲利娅也认为：

"啊！好可怜的王子，一定是受了非常重大的刺激，而真的发疯了。"

因为他的叹息是发自内心深处，所以使人有一种悲惨哀绝的感觉。

王子把她的手放开后，一步一步地往后退，好像他的后脑长着眼睛一般，不偏不倚地退出了房门，消失了。

"王子真的发疯了吗？啊！这可太令人伤心了。"

奥菲利娅内心痛苦极了，她再也不能这样呆坐下去，于是跟跟跄跄地站了起来，跑出房间，朝着王子可能取道回去的走廊急步追了过去。

可是奇怪得很，刚刚出现的王子，不论是走廊的哪一端都看不到，像一阵烟似的消失了，连影子也找不到。她最后跑到大门边，那扇铁做的大门关闭得紧紧的，根本看不出刚刚有人曾经出入过的迹象。

奥菲利娅想：

"也许王子是爬过那道低围墙，再从庭园的阳台偷偷进来，然后，又顺着原路走了出去的。"

奥菲利娅已经丧失了再追赶上去的勇气，她那宽阔的裙子渐渐地往下降，身体软绵绵地倒在地面上了。

"奥菲利娅！你怎么啦？是不是身体不舒服？"

她的父亲波洛涅斯正有事经过走廊，一看到女儿失常的状态，立即跑到她的身边这样问。

"王子殿下……刚才哈姆莱特殿下……"

奥菲利娅好不容易才由嘴里迸出了几个令人费解的单词。

"王子殿下怎么啦？喂！奥菲利娅，提起精神来。到底王子殿下怎么啦？好好地告诉我呀！"

她的父亲边问边拉住他女儿的手臂，把她扶了起来。她站了起来之后，蹒跚地又要倒下去。

"噢，好危险！来！我扶你到那边去。"

波洛涅斯扶着奥菲利娅，慢慢地走到那个阳台的椅子上。

"详细地告诉我，究竟发生了什么事情？"

奥菲利娅点了点头，然后把刚才所发生的一幕详详细细地讲给她父亲听。

王子发疯是真的还是假装的，这对波洛涅斯来说，是一件不容忽略的大事情。

如果王子真的疯了，那么，无论对克劳狄斯王而言，或者对波洛涅斯本身而言，将是一件非常可喜的事，而且是以后可以高枕无忧的大喜事。但如果他是假装发疯的话，相反的，却是一件令人丧胆而后果不堪设想，并且值得担忧的大事情。

听完了奥菲利娅的话之后，波洛涅斯抱着两只手默默地沉思着。

"听了你的话，王子殿下发疯，绝不会是假装的，他一定是因伤心过度而发疯的。噢！对，对！我必须立刻去报告国王，告诉他王子是真正的疯了，不是假装的，这样，也好使国王放心。"

后一半话，好像在自言自语。波洛涅斯匆匆忙忙站了起来，然后出发到宫殿去了。

初春的阳光，温暖地晒在御座上。国王和王妃，刚好和今天刚从外国回来的部下罗嵤和凯尔丹在密谈着。

罗嵤和凯尔丹这两个丹麦国的家臣，一向是哈姆莱特最亲密的朋友，这是谁都知道的事情。

克劳狄斯王认为必须把他们两人从哈姆莱特的身边拉到自己这一边来，作为自己的心腹忠臣。因为，这样既能使王子孤立无援，而同时又可以增加自己的实力，是一举两得的好打算。这次是国王特地召他们两个回国来的。

"我非常欢迎你们回国。"

克劳狄斯装出一副温柔亲切的嘴脸说。

罗嵤和凯尔丹互望了一眼，显出恐慌畏怯的表情，向御座移近了几步。他们因为刚刚回国，所以还没有听到王子已经发疯的事情。

"老实对你们说吧！我是为了侄子哈姆莱特的事情，才召你们回国来的。简单的说一句，就是他好像神经错乱了。"

"唉，王子殿下！"

"这话可是真的？"

两个家臣，同时脸色大变。

"我的话是真是假，你们只要亲眼见一见他本人就知道了。我认为他是因为他父王去世，悲伤过度而发疯的，这种判断是不会错的。不过，我觉得令他发疯的原因不会如此单纯，一定还有深刻的理由存在着，你们两人从小和哈姆莱特一块儿长大，一直都是好朋友，所以，对于哈姆莱特的性格、脾气，你们也知道得比别人更清楚。我以为只要问你们两人，就可以知道深藏在哈姆莱特心底下令他发疯的理由。我这样想，才把你们召回国来的。不过，辛苦你们喽！"

"这个……"

"我以为别的人也许可能,不过,王子殿下绝对不会发疯的。"

两人侧着头思索着。

"我倒不是立刻要你们来答复我这个问题,以后你们可以每天和哈姆莱特碰碰面,哈姆莱特也许因为你们两人是他的好朋友,不再有什么顾虑而吐露他的心事。只要知道了什么事情在烦恼着他,竟令他烦恼到发疯的程度,就可以对症下药,加以治疗。假使你们两人肯努力办好这件事情的话,我一定立刻提升你们的官位,使你们跻身大臣之列,和我一同尽情享受荣华富贵。怎么样?我希望你们拿出全部力量,来完成这件工作。"

国王装出一副笑脸,他想用金钱和官位来引诱这两个家臣靠拢到自己的这一边来,变成自己的得力助手。

罗崭和凯尔丹本来不是心怀险诈的坏人,可是,却被国王的甜言蜜语所迷惑。而且国王亲口答应提升他们的官位,让他们加入大臣之列。享受高禄和富贵,这样真可以说是鱼与熊掌兼而得之了。因此他们终于被财禄所迷,而倾向国王这一边了。于是,两人毕恭毕敬地向国王鞠了一个躬说:

"我们愿意接受国王的吩咐,为完成国王所吩咐的工作,我们愿意献出自己的生命。"

罗崭和凯尔丹两人说完后又行了礼,才欣然退出。

躲在房间门前大石柱背后的波洛涅斯,目送着罗崭和凯尔丹的背景消失以后,才悄悄地闪了出来,匆匆忙忙地跑到国王御座前。

"噢!原来是你,波洛涅斯。"

"谈判得好像非常圆满。"

"现在,我已经将他们两个也拉到我们这一边来了,今后咱们可以高枕无忧了。"

"陛下，值得欣慰的不仅是这个。还有关于哈姆莱特王子发疯是真是假，我已经查明白了。"

"真是好极了！波洛涅斯，赶快告诉我，究竟是真是假？"

"我认定是真正的发疯，一点儿也不会错。"

"你怎么知道的呢？凭什么敢这样断定呢？"

"事情是这样的，刚才王子殿下神志迷糊得不经通报，就直接跑到我女儿奥菲利娅的房间去。奥菲利娅被这突如其来的行动吓得叫出声来，可是，王子殿下却好像毫无知觉似的呆望着我女儿的脸庞，仍然一声不响。我那个好心肠的女儿，一向是王子殿下的惟一同情者。据她说，过去从来没有看到王子殿下有这种粗鲁而狼狈不堪的行动，他的所作所为的确足以证实他是个疯子了。"

波洛涅斯就将从女儿那里听来的，有关哈姆莱特王子的异常行动，一五一十地全部转告给国王。

"听你这么说来，像是真的疯了。"

"是的，绝对是疯了。"

波洛涅斯又继续说：

"绝对不会错的。我另外派我的心腹暗中监视过王子每天的行动，据他们的报告，除了断定王子是真正的疯子以外，不能做其他的解释。"

"他们怎么报告你的？"

国王探出身躯急促地问。

"王子殿下正在绝食，不论送什么食物给他，他一概不吃——因此，身体逐渐消瘦，颧骨高耸，眼睛塌陷。连走路都踉跄无力了。可是，另外他却毫不犹豫地将不是人所能吃的，像虫类和树叶等东西，都抓起来往嘴里塞，而且还吃得津津有味。还有，他的作息时间也和常人完全相反，白天睡觉，一到晚上就像夜游魂一般在城里到处乱窜乱跑。他所说的话根本语无伦次，没有一个人听得懂。但是有一点很叫人奇怪，他的神智有时清醒得比谁都还要清醒。这就是他们的报告。"

"嗯，这样看来，他的所作所为的确是疯子的行径了。"

"这样总可以放心了吧？国王陛下。"

波洛涅斯嘴边泛起诡秘的微笑低声说。

"嗯，全是你的苦心和努力所得到的成果，我该感谢你……但是我总觉得还不能就此放心。有没有好的办法，可以使我亲眼看到王子究竟疯到怎样的程度？"

国王好像还不能完全放心似的。

·39·

"嗯，我倒想出了一个好办法。王子殿下对我的女儿奥菲利娅一向非常信任，他会将所有的心事毫不隐瞒地统统说给她听。我想就利用王子这一点，用我的女儿做'美饵'引诱他上钩，来听取他的心声，陛下看如何？"波洛涅斯满有自信地捻着雪白的胡须问。

"你打算用什么方法探听他的心声呢？"

"王子殿下不是每天总要在城楼的走廊上，散步约三个小时吗？"

"唔，一点儿也不错。"

"我想，就在王子散步的时候，把我的女儿奥菲利娅带到走廊上来，使她和王子碰面谈谈。这时，陛下和我都躲到窗帘的后面去，偷看他们两人谈话的情形……"

"嗯，这个办法的确很妙！我们不妨试试看。"

"遵命！可是要请陛下严守秘密。"

"好的,选定适当的时间再来实行……喂！大家可以进来了。"

因为怕密谈被人偷听了去，家臣们都被赶出房间。一听到国王的呼唤声，又都陆续走了进来。于是，荒唐的酒筵又开始了。

大臣波洛涅斯向国王一鞠躬退了出去，因为他想把方才和国王密谈的计谋告诉他的女儿奥菲利娅。

他弯着背，白髯飘飘，扶着拐杖一步一步地在满是石柱的走廊下走着，刚巧见到王子从走廊的那一端像游魂般蹒跚而来。王子的样子和奥菲利娅所说的完全一样，不戴帽子，袒露着胸脯，一身狼狈不堪的衣着，手上拿着一册书籍边读边走，踱步而来。

当老人波洛涅斯靠近他的时候，他好像丝毫都没有感觉，可是大臣却把王子叫住了。

"噢，王子殿下！哈姆莱特殿下，您好吗？"

可是，王子连头也不回，脚步也不停，照样眼不离书地读着。

"还不是一样。"

波洛涅斯退了回来跟在王子背后。

"哈姆莱特殿下，您可知道我这个老头子是谁吗？"

哈姆莱特听了这句话后，稍微回身瞟了他一眼，说：

"怎么不晓得，你是钓鱼能手。"

波洛涅斯被王子这种怪异的回答搞糊涂了，摇了一下脑袋，沉思了一会儿，说：

"我绝不是什么钓鱼能手呀！王子殿下，难道您真的把我忘记了吗？"

他边说，边在心里想，看王子的样子，脑筋一定是有毛病了。

"唉！王子殿下，您一心一意在看的是什么书呀？"

"呵！我在看字，在读字呀！"

"看字？我也知道的。我是问您，它写的都是些什么事情啊？"

"坏话。"

"是些什么坏话呀？"

"是无聊的坏话。书里这样写着：头发和胡须都白了，还一天到晚动歪脑筋，密谋着伤天害理的坏计划。如果不及早悔改的话，将来一定会不得好死……"

波洛涅斯被王子这些话吓了一跳，歪着脑袋在想：

如果他是真的疯了，哪里还会说出这种思路清楚的话来呢？越想越不懂。还是叫女儿奥菲利娅探听一下比较妥当，光凭自己是无法探出王子的心声的。

波洛涅斯这样下了决心以后，便说：

"王子殿下！那么，请您答应我，让我离开这儿吧！"

他说着就想回身离去。

"答应你什么呀？我并没有答应过要给你什么东西呀！我不想送给你东西。喂，等一下！你想要的是我的性命吧？性命！性命！这个我自己还有用处呢！绝对不会轻易送给你的，你不要做梦啊！"

"王子殿下，您怎么说出这种话来了？您可千万别把我这个老头子吓坏了……"

"应该吓坏的恐怕是我吧？"

波洛涅斯匆匆忙忙拄着拐杖沿着长廊离去了，剩下王子哈姆莱特一个人留在那儿。

"这个讨厌的老头子，你也是仇敌之一呀！"

他咬牙切齿地咒骂着。

后来，他又恢复了原来的态度，一心不乱地读着书，继续在走廊上漫步着。

罗崭和凯尔丹两人远远望见王子，就奔了过来。

"啊！原来您在这儿。王子殿下！哈姆莱特殿下！罗嵚来参见您。"

"到处找您，总算被我们找到了。王子殿下，您不认识凯尔丹了吗？"

两人一左一右，显得格外亲密的样子，靠拢在王子身边说。

王子的表情，好像想不起他们是谁似的，左看右瞧地看了两人好大一会儿。

"啊！你们倒很像罗嵚君和凯尔丹君。可是，罗嵚君和凯尔丹君，他们以外交官的身份到外国去了，他们的确是我小时候的亲密朋友，你们很像他们，可是绝不是他们。"

王子的回答使人迷惑了。

"怎么会不是呢？我就是王子殿下小时候的密友罗嵚呀！不过，脸被太阳晒黑了一点儿罢了。"

"我就是凯尔丹呀！也许是我的胡须长了一点儿，使您一时认不出来了吧？"

哈姆莱特显出厌恶的样子，把脑袋左右摇晃着。

"你们的外表倒是很像，可惜却是赝品。我一看就看出来了，绝对瞒不了我。"

听到王子这番话，两人不觉内心一惊，互相望了一眼。

"不必介意！方才是说着玩的。罗嵚君和凯尔丹君，你们为什么要从自由自在的外国回到这个监牢来呢？"

"监牢？"

凯尔丹不解地反问。

"我是说丹麦监牢呀！"

罗嵚听了王子的话，觉得王子的脑筋确实是有了毛病。

"王子殿下，这儿不是监牢，而是丹麦的王城艾尔西诺城呀！"

罗崭大声地说给脑筋有毛病的王子听，他以为这样可以提醒王子一下。

"我也是说艾尔西诺大监牢呀！比起别的监牢来,这儿的坏蛋最多。"

"王子殿下，您不要说这种话，这样会使您陷入险地的。"

罗崭不免触发了从前的友情，他不禁替王子的处境担忧，而不得不如此忠告王子。

"哈，哈，哈！你倒还替我担心。这真要谢谢你了！到现在为止，同情我这个囚犯的只有你们两个人。感谢，感谢！那么，我问你们，你们到底为了什么事情回国来的？是你们自己想念家乡而回国的呢？还是国王命令你们回国来的？据实告诉我。"

王子以锐利无比的眼光盯住他们两人的脸，等待他们回答。

可是罗崭和凯尔丹两人，却被问得不知道如何回答才好。

"请告诉我实在的情形。我和你们是小时候最亲密的朋友呀！就是现在，我还是把你们当做极亲密的朋友看待。背叛亲密朋友，或者对亲密朋友扯谎，甚至于有欺骗亲密朋友的行为，都是可耻的。你们总不至于因为住外国多年，而将朋友的信义也丢在外国了吧！"

王子至情至理的话说得两个人都不想再隐瞒下去了。

"王子殿下！说实话吧！我们是被召回国来的。"

凯尔丹终于良心发现，据实招供了。

"你们说了真心话了。这样才算得上是亲密朋友！其他的不必再说了。你们一定是受到国王的命令，不准把实话告诉任何人。我只要听到这句话就够了。"

哈姆莱特王子踉跄地离开了他们。

"唉！王子殿下！瘦削得好厉害啊！我做梦也不曾想到王

子殿下会变成这个样子。真是太可怜了……"

"可是,他一点儿也没有发疯的迹象呀!我被他用锐利的眼光盯得寿命短了三年!可怕极了!"

"我也因为这个缘故,终于不敢说谎而说出被召回国的实话来。现在仔细一想,真后悔。"

"不过,他的言行有些地方也确实令人奇怪。才说一句像样的话,我们就被搞得糊里糊涂了。他究竟是疯还是没疯,根本看不出来。"

两人莫名其妙地并肩走向大厅里去。

王子哈姆莱特仍然在走廊上踱来踱去继续散步。

"罗崭和凯尔丹会突然回家真是太意外了。我到昨天为止,还认为他们两个人是惟一无二的知心朋友……可是,一下就被我看穿了,他们都已变了心啊!人心真是太不可靠了!我怎么能接受,连他们两个人也和城内的其他奸恶家臣一样呢?我直到昨天,不,直到今天为止,还认为他们两个人是我的挚友呢!……内心不知道几次祈求着,罗崭呀!凯尔丹呀!快回到我的身边来做我的助手,帮我报仇……听到他们已经回国的消息,我的内心是多么欢喜,多么兴奋呀!可是,现在全成为泡影了。他们已经不是从前的他们了。啊,不能信任,谁也不能信任。什么都不能信任!"

王子回到自己的房间以后,好像全身的力气都没了,便倒卧在长椅子上面。

"啊!什么都不能信任了。"

他这样一想,忽然觉得世界上的一切都毫无意义了。

想这、想那,不知不觉就睡着了。

睡在长椅子上的王子,不知道什么时候开始,竟忽然发现有一队士兵,好像要涌向哪里去似的从头顶上跳跃而过。

在这队军士中间,王子看见有一位骑着白马、身着银白色盔甲的将军,扬鞭指挥着军队向这边飞奔而来。

"啊,父王!"

王子大声叫喊。

"哈姆莱特,你在犹豫什么呀?你怎么任由你的仇人逍遥自在,还不快去替父王报仇呢?"

先王的声音像闷雷般从王子的头上落了下来,同时,他所乘的白马的铁蹄,"啪克啪克"一阵响,王子被铁蹄踢中而惊醒了。当然,这不过是假寐时的一场梦。

王子醒来,满身全是冷汗。

王子的胸中,悲哀得像怒海中的波涛般汹涌着、翻腾着。

"父王,父王!请赐给我这个犹豫不决的哈姆莱特勇气吧!父王呀!请你惩罚我这个束手无策毫无作为的怯汉吧!"

王子将双手一抱,从窗口眺望了一下外面的苍穹。

窗外已经静悄悄地呈现出黯淡的暮色,不一会儿,一颗一颗的金色星星闪闪而出,开始照耀着无情的下界。

王子腰际挂着那柄满镶着宝石的长剑走出了房间,他朝着那次见到先王亡灵的哨楼前进。今天哨楼上的景色,却和暴风雨那天的夜晚不同,繁星满天,迎面吹来的风也柔和得令人心花怒放。

"是谁?"

站哨的士兵举着长枪大喝。

"丹麦国王万岁!"

王子轻举一只手回答。

"您是谁呀?"

"我是哈姆莱特。"

"噢!原来是王子殿下。"

哨兵恭恭敬敬地向王子敬礼。

"辛苦,辛苦!我想在这儿玩一小时,观望一下星儿或者眺望海涛。我代你站岗好啦!你到下面去休息一会儿吧!"

"那怎么可以呢?不是太……"

"不必客气,我准许你。"

这个哨兵又向王子敬了一个礼,然后扛着长枪向下面走去。

等哨兵的脚步声消失了以后,王子做了一次深呼吸,像是要吸取新鲜的夜气一般,然后又叹了一口气。

"啊!在这里再也不需要假装神经病了。……一个人,可以不必顾虑别人,可以任由我自由在地活动了。"

王子伸了一下手和脚,精神也觉得异常轻松。

"可是,我这个人竟是一个眼看着杀父仇人在面前,而不能有所作为的懦弱汉!就连报仇的勇气也没有!不但如此,我不能信任别人,竟连自己也不能信任。

"想起那天晚上父王显灵的那一幕,当时认为克劳狄斯是害死父王的仇人,可是,现在连这个事实,也越来越觉得靠不住而不能完全信赖了。……因为,我自己亲眼所看到的父王的亡灵,说不定是魔鬼的恶作剧也未可知。也许是恶魔变作父王的样子来教唆我行凶!如果真是这样的话,怎么办呢?我自己将被恶魔所愚弄,那不是要蒙上杀害叔父的恶名吗?再退一步想,纵然不是恶魔的恶作剧,怎能说那不是我自己的幻想所勾画出来的梦幻,而自己却认为是真实亦未可知呀!……不会的,那天晚上所听到的声音,的确是父王的声音。而且,那天晚上所浮现的姿影,连极细微之处也和父王没有两样,这是我亲眼看到的呀！怎么还要怀疑呢？……不，不！不能说没有可疑的地方。不懂，不懂！怎么做才能完全清楚呢？怎样才能抓到确凿的证据呢？"

王子哈姆莱特犹疑不决，不知道哪个是善，哪个是恶，弄得头昏脑胀不知所从了。他背靠着石壁，用双手抱着自己的脑袋，烦闷得不知如何是好。

"哈姆莱特殿下！"

也不知道什么时候上来的，只见一个黑影站在王子的身旁。

"噢，噢！原来是霍拉旭。"

霍拉旭向四周仔细地打量了一番，证实了的确没有别人在，然后才说：

"我是跟踪着您而来的，因为有话要向您报告。"

"什么事……你说吧！霍拉旭，你的话我会毫不怀疑地听从的，因为你是我惟一的密友呀！"

王子对霍拉旭说话的态度，根本看不出有丝毫神经失常的地方。

"罗崭和凯尔丹两个人虽然是王子殿下的童年好友，可是得特别当心他们，我是为了报告这件事而来的。"

"谢谢你！霍拉旭……你看怎么样？他们会不会已经看破我是假装疯子的呢？"

"没有。他们起初还是半信半疑的样子，后来经过我一番渲染，说王子殿下的言行如何失常之后，他们就确信不疑了。"

"辛苦你了！霍拉旭。"

"唉！还有一个好消息哩，王子殿下！"

霍拉旭这样说着，就靠近王子，和他并立在石台上。

"好消息？是怎么一回事呀？"

"最近，英国有一个剧团要到这儿来。"

"嗯！"

"大概下一趟的船会载他们来的。这个剧团的团员全是第一流的悲剧演员。"

"这个怎么是好消息呢？"

"团长是我的同乡，他对我比自己的亲兄弟还要好。我的计划是想利用这个人的角色，来使新王把自己的罪恶全部招认出来。"

"不是舌头，而是用脸色使他招认罪状？……啊，新奇！太新奇了！霍拉旭，快把你的计划说给我听听。知道我的心声的，除了你以外，再也没有第二个人了。"

于是，霍拉旭把嘴巴靠近王子的耳边，用极细微的声音说了很久，其他的人谁也听不见。

王子的脸色越听越红润起来。

"霍拉旭，你怎么知道我埋在心底的疑惑？离下次的船到达这儿还有十天的功夫，我就利用这一段时间来写一篇故事让他们排演，以后怎样进行，需要商议时，就利用这个地点好了，因为我到这里来，还没人注意到。霍拉旭，我的疑云好像被一股清风吹散了，真是烟消云散，心里舒服极了。"

"哈姆莱特殿下，在短期之内，您的疯病也会痊愈的！"

"啊！但愿如此。"

"那么，我失陪了。被别人看到可不是好玩的。"

霍拉旭活像一只飞鸟，迅速地消失了，连跑下台阶的声音都没有，眨眼间就不见了。

王子目送着霍拉旭离去之后，向后一转，朝着上次和先王亡灵谈过话的哨楼上静静地走了上去。

　　到了最高层，王子面对着大海，紧咬着嘴唇，坠入了沉思的境地。可是他的脸上，再也没有半点儿悲哀和犹豫不决的影子了，取而代之的是显露出坚定的信心和果敢的精神。

6 走廊邂逅

为了庆贺丹麦新王登基，载着英国著名悲剧演员们的船将要到来的消息，一经传播开来之后，艾尔西诺城的人民无不为此而兴奋。

可是，王子哈姆莱特的病症，在这个全国兴奋的时期，非但不见好转，反而越来越恶化了。

新王克劳狄斯每天召见罗崟和凯尔丹两人来问：

"怎么样，今天可看透了吧？他是真疯还是假疯，有没有抓到确实可靠的证据？"

新王怀着极大的期待向两人探询，可是，他们两人却怪不好意思地摇着头：

"这个，实在弄不清楚。"

他们只能这样回答。

"好像是疯了。可是，有些地方却一点儿也不像疯子。"

"我觉得他故意在愚弄我们。可是，再仔细一想，又好像不是这么一回事。"

　　看样子，罗崭和凯尔丹像是被王子搞糊涂了，他们确实是摸不清楚王子的底细。

　　在旁边的大臣波洛涅斯，也大惑不解地斜着头在想。

　　"似疯非疯，我想这就是疯子的特征……"

　　"怎么可以这么含糊呢？"新王也显得非常懊恼的责怪着。

　　"陛下，我看还是实行上次我所报告过的计谋吧！我把女儿带来让她和王子会晤，而我们躲在窗帘后面偷听。"波洛涅斯又进言了。

　　"好吧！试一试这个计谋也好。"

　　"距离王子散步的时间也不远了。那么，我这就派人去召女儿进宫。"

　　波洛涅斯站了起来，并且叫来一个家臣。

　　"你立刻去叫奥菲利娅小姐到这儿来，就说陛下召见她。"他命令家臣去自己的官邸叫他的女儿来见国王。

　　美丽的奥菲利娅正坐在镜台前面，一边唱着歌，一边梳着秀发。

　　哥哥雷盖兹的信刚刚由今天早上到达的船送到，因此，奥菲利娅觉得格外愉快而兴奋。

　　　故乡的春天是否已经来临了？巴黎现在正是春满
　　人间的季节，不论原野上、河堤边、庭院里，或者在
　　卧室的四周，全都是花、花、花，我好像要被花的香
　　气窒息了。我一定要设法把你带到这儿来玩一次。
　　　亲爱的妹妹呀！我一想到你，就觉得故乡是值得
　　惦念的地方，因为有你住在那儿，我才觉得那座由冰
　　冷的石块所砌成的艾尔西诺城，也好像是我极想回去

的好地方。我想你一定过得很快乐，不会有不如意的事情吧？只要能平平安安地过日子，平凡而宁静的生活里上帝是常在的，这是最幸福的生活。我祈求上帝赐给你和父亲平安、健康。

游子在外最关怀的莫过于远在故乡亲人的安危。也许这就是所谓的乡愁吧！我非常想念家里的人。使我最放心不下的就是那位王子。你千万不要靠近他！我有一种预感，总觉得靠近他会发生不祥的事故。妹妹呀！哥哥所讲的话要切记在心，不可大意。

最后让我来告诉你我的生活状况吧！我每天汗流浃背地练习剑术，这儿有许多著名的剑术老师，他们都赞扬我的剑术进步神速。

再会！有工夫会再写信给你的。

奥菲利娅对于写着王子的那段话，皱着眉头以不愉快的神情默念着。

"哥哥的确是一位亲切而好心肠的人。可是，为什么对王子却变得这般顽固？这一点，他和父亲极为相似。人家说有其父必有其子，真是不错，连对人的好恶也完全相似，这就使人好笑了。……啊，值得同情的王子殿下！当我瞧到他发疯的样子，虽然内心极力遏止不使自己哭出声来，可是泪水却不肯听话，一个劲儿直往外流。如果哥哥看到王子殿下的凄惨的样子，一定也会由衷地同情他。"

一想到哈姆莱特王子悲惨的遭遇，奥菲利娅的胸中，好像碧蓝的天空中忽然涌起一片黑云，立刻遮住太阳一般的黯淡，同时，觉得世界上没有一件事情是愉快的。

连梳了一半的头发也懒得再继续梳了。

就在这个当儿，有急促的脚步声走近，一个女佣出现在她的眼前。

"刚才，老爷从王宫派人来了，说要小姐立刻跟他到王宫里去一趟。"

"要我去？"

奥菲利娅觉得事情太唐突，原来可以静静地想念王子的气氛被搅乱了，心里很不高兴，更不愿去王宫。可是这是父亲的命令，怎么能拒绝呢？

"好吧！你去告诉他，我立刻准备，请你稍等一会儿。"

准备完毕以后，奥菲利娅美丽的姿态简直像仙女一般，连帮她梳妆的两个丫环也看得出神了。

一到王宫，她的父亲波洛涅斯立刻将她带到国王御前去。

"噢，噢！奥菲利娅，你美得像天使一样。靠近来一点儿。今天召你到这儿来，是关于王子哈姆莱特的事情，需要借助你一下。"

国王本来就是一个很会说话的人。他说："因为不明了哈姆莱特所患的病症的根源，希望你从王子口中探听出来。如果知道了他的病源，就容易治疗了。如果能因此治好王子的病症，不但是王子的幸福，奥菲利娅，你的功劳也是非常大的。"

听了国王的这一番话，奥菲利娅也就信以为真了。她的心境也为之舒畅了，过去对国王和父亲所抱的不满，也像春雪被阳光融化了一般消失殆尽了。

"啊！快到王子殿下出房的时候了。"

"好吧！我们这就去吧！"

国王离开了御座，带着波洛涅斯和奥菲利娅向走廊走去。

"陛下，就在这儿吧！奥菲利娅呀！你就在这儿来回走动吧！给你这本《圣经》，你就边走边看好了。这样，人家就认为你是独个儿在这里看书散步的，不会怀疑另有别人在了。别忘记，等会儿王子殿下走过来的时候，要详细探听他的心意。切记！切记！"

"知道了，爸爸！"

"那么，陛下，我们就躲在这个背后吧！"

波洛涅斯这样说着，就陪国王躲到厚厚的绯色窗帘背后，然后悄悄注视着走廊那边。

不到五分钟，从走廊远处传来一阵轻微的脚步声。

"噢！一定是王子殿下。奥菲利娅你要用心好好地做。"

她的父亲波洛涅斯的声音从窗帘后面传到奥菲利娅的耳朵里。奥菲利娅点了点头，然后，翻开《圣经》，装出用心看书的样子，等待王子的来临。

和平时一样，就像梦游患者般踉跄走来的王子哈姆莱特，边走边喃喃自语着。

"这样活下去好呢，还是一死来了却这痛苦好呢？"

王子的脸上显出万分痛楚，两眼直视着前方，可是，他的眼珠儿却又像看不出什么东西似的。

"如果一直以这种痛苦不堪的心情活下去的话，真不如以死来解脱这种痛苦要好得多了。眼巴巴地看着父亲的仇人在自己的面前，而不敢有所作为，一天挨过一天地活下去，实在太难过了。可是，没有确凿的证据呀！也许他不是父亲的仇人也说不定。啊！啊！越想越不懂了。……唉！在那边走动的不是奥菲利娅吗？她倒有一颗和她父亲波洛涅斯毫不相似的善良的心。如果，如果她知道了我的心情，对于我的处境，一定会非常同情的。对她，总不应该假装疯子来欺骗她。……我的心意还是不告诉她的好。她是波洛涅斯的女儿呀！他们之间是父女呀！危险！危险！差一点儿我就打算告诉她了。不能大意，慎重从事总是不会错的。"

王子一边这样想着，一边走近她。

躲在窗帘背后的国王和大臣屏息窥看着他们的行动。

"唉，唉，站在那儿的是谁家的小姐呀？你在看什么书啊？是不是一本很有趣的小说啊？"王子轻松地问。

"王子殿下！哈姆莱特殿下！你不认识我奥菲利娅了吗？"

"奥菲利娅？这个名字像是听说过的。你把书借给我看一看好吧？"

王子接过奥菲利娅拿在手中的《圣经》，然后把它倒着看，还大声念了起来，他所念的字句也是胡乱不清的。

"没有意思！这不是食谱吗？不！也许是很有意思的。因为小姐总有一天会出嫁，到那时候，不是可以烧出许许多多拿手的好菜来给夫婿品尝了吗？这是作为一位小姐最重要的事情。"

"王子殿下！这本不是什么食谱，是《圣经》呀！"奥菲利娅盯着王子的眼睛说。

"什么？你说这本不是食谱？是《圣经》？《圣经》是什么样的书呀？让我想一想。"

"王子殿下！"

奥菲利娅眼见王子疯疯癫癫的样子，不觉声音颤抖，同时泪水潸潸。王子这时也被奥菲利娅的纯洁心灵所感动，想就此改变假装疯狂的面目。

"奥菲利娅！"

王子由于内心激动，很温和地喊了一声。

"啊！太使我兴奋了。王子殿下，您想起我就是奥菲利娅了吗？"

奥菲利娅因为过分的喜悦，竟紧紧握住王子的手低声哭泣起来。就在那当儿，从窗帘的后面发出一些细微的声音。王子立刻察觉到有人躲在附近偷看着，于是又恢复了原来的疯子样，突然间把被奥菲利娅紧握的手用力缩了回来，然后又蹒跚地走开了。

"噢，上帝呀！祈求您救救这位王子吧！"

奥菲利娅目送着王子的背影，合着纤细的双手向上帝祈祷。

前进了两、三步后，王子又突然转过身来。

"小姐！你知道修道院的确不坏呀！没有比修道院更好的地方了。跑到修道院去吧！去修道院做修女，才能保持你的美丽和纯洁永不会消失。你知道了吗？"

王子像命令一样的对她说了之后，睨视了她一眼。

看了王子这个样子，奥菲利娅的内心认为他发疯是无疑的了。

这是多么残酷的事情呀！奥菲利娅以为除了诚心地祈祷上帝，靠神的力量来使王子恢复正常以外，再也没有办法可想了。

"上帝！上帝呀！我虔诚地向您祈祷，为了丹麦国的幸福，请您将王子殿下的病早日治愈，使王子恢复从前高贵而正常的状态吧！"

奥菲利娅一面向上帝祈祷，一面因失望和悲痛，连站立的力气都消失了，不觉踉跄地靠在石柱上，身子摇晃得将要倒下去。

王子以冷峻的语气说：

"要去修道院，要立刻就去！"

又这样重复的说了一次，然后返身朝着来的方向，连头也不回地急促跑了回去。

被留下的奥菲利娅，这时再也忍耐不住了，眼泪立即夺眶而出，低泣不止。

曾经是多么英俊、多么聪敏、多么精通文武，被全国人民所爱戴、拥护过的王子，想不到，现在竟会变成一朵像被暴风雨吹坏了的花，又像一只被折去翅膀、被拔去羽毛的鸟儿一样萎靡，真是狼狈不堪的模样啊！……这样一想，奥菲利娅的内心立刻不安得不知如何是好。

国王和波洛涅斯眼看着王子离去以后，又前前后后环视了一下，知道没有人在，才从绯色的窗帘背后走了出来。

"陛下，您可亲眼看到了吧！那还不是真正的疯子是什么！"

"唔！朕也认为不是假装的。可是，总还觉得不能十分放心。"

"怎么？陛下还不能完全放心？"

"不，不是这么简单的。凡事预防得越严密越好嘛！据我的观察，如果断定他是真正疯了，那可疑的地方太多了。万一他是假装疯狂的话，他的脑筋里面，一定隐藏着极危险的计谋，说不定他会做出使我们趋于毁灭的行为也未可知。"

"陛下的心思好细啊！"

连波洛涅斯对于国王不轻易相信人对人怀疑之深，也感到赞叹不已。

"我倒想了一个好计划。我想派哈姆莱特到英国去，把他和我们隔离开来，才是最安全的办法。"

"这真是妙极了！好计划！对于陛下睿智的计谋，我波洛涅斯实在差得太远了。"波洛涅斯这样称赞不绝。

国王和波洛涅斯又继续轻声磋商着，一起踱回大厅里去，只留下奥菲利娅一个人在静寂的走廊上。

7 蝙蝠

夜已经深了，可是王子哈姆莱特还没有睡觉，他在自己的房间内，聚精会神地一心一意写着底稿。

"唔，适当的言词可真不好找哩！"

他喃喃自语着，还用拳头频频敲着自己的脑袋，发出"卜、卜"的声音。

想到了自己认为满意的句子时，就立刻提起鹅毛笔蘸上墨水，发出"沙沙"的声音，一行、两行地写在纸上，然后又停下笔来思考。

"这个地方，有没有更能够使观众兴奋的好句子呢？"

当王子正在用心深思的当儿，忽然传来一阵"咯、咯、咯、咯"的轻微敲门声。

"请进来。"

随着王子的许可声，门扉轻轻地被推开了，同时，闪进一个蒙着面的男人，不声不响地对着王子敬了个礼。

"坐下来吧！"

那个男人摘下蒙面的黑布。原来他就是霍拉旭。

霍拉旭的眼睛立刻落在王子所写的稿子上面。

"王子殿下！像是写得差不多了。"

霍拉旭把尚未完成的剧本拿起来默读后说："如果把这个剧本交给我，让名演员演出的话，我相信一定能够演得很成功，能够扣人心弦，使观众忘记这是戏剧还是事实，而进入忘我的境地。"

王子高兴地说："太好了，今天晚上我就把剧本完成。"

"噢，今天晚上就能够脱稿吗？那么，我就可以放心了。因为，船可能明天就要到了。那批演员一到达，我准备立刻把这个剧本交给他们排演，否则，恐怕时间来不及了。"

"一切拜托你了。霍拉旭，我的命运将完全寄托在这一出戏里了。"

"我知道。所以我会做得万无一失的，请您放心吧！"

"戏剧开演的时候，观察国王脸上表情的变化，不可以有丝毫的遗漏，这也是你的任务呀！"

"我绝对不会遗忘。我一定会用心观察国王脸部的表情，从而透视深藏在他心底的阴谋。"

"听了你满怀自信的一席话，我立刻觉得安心多了。一切还得格外注意才是！"

霍拉旭站了起来，又戴上那块蒙面的黑布，和刚进来的时候一样，根本看不出他到底是谁。

"王子殿下！"

霍拉旭用极低的声音对王子说：

"请多加注意！国王对您的疯狂还没有完全相信，还在继续用种种方法探听着呢！所以您万万不可大意，以免露出马脚。"

听到这话后，王子也不觉一愣，以严肃的神情反问：

"是不是听到什么消息了？"

"在王子殿下的身边，经常有人暗中窥视着，对方如此注意，我们当然不可以大意。假使那本尚未完成的剧本被盗，或者有人发现我和您在一块儿谈话的话，那一切就都完了。所以，请您千万多加注意才好。"

"我会注意的。你也不要疏忽啊！"

告辞以后，霍拉旭正想推门出去的时候，忽然——

"啊！"

他惊叫了一声，立即把门又关上了。

"有奸细在偷听。"

霍拉旭回过头来向王子报告。

"是什么样的奸细！"

王子抓起那柄镶着宝石的剑，跟随着霍拉旭开了门，凝视着黝黑的暗处。可是四周寂然，看不出有人潜在的模样。

霍拉旭向王子敬礼以后，迅速地消失在黑暗中。

朝着沙沙作响处，王子的宝剑一闪，觉得有了反应，仿佛有一种东西被砍中了。

风从开着的门吹进房内，将仅燃着的一支蜡烛也吹熄了。王子立即回身燃着蜡烛，然后赶往方才沙沙作响处查看，只见地板上躺着一只被砍成两段的大蝙蝠的尸体。

原来它就是奸细的真正面目啊！

正如霍拉旭所言，第二天，从英国驶来的挂着许多帆的大帆船入港了。

船里载着男男女女许多演员。

王城里的人为了表示欢迎这一批演员的到达，派两个喇叭手站在城墙上，吹奏着挂着旗帜的长喇叭。

城门大开着，为了要看迎接的官员领着这一批演员进城来，道路两旁瞬息间就围成了一道人墙。

将近二十名的演员，各自穿着漂亮耀目的衣裳，缓缓进入城门。

被迎接进城的演员们，不久即被带到王宫的大厅上。

国王坐在御座上，两旁站着一排一排的家臣，像繁星拱月一般，大家都穿着灿烂夺目的上好官服。

"欢迎你们光临！关于你们的本领我们早已听过了。我正在等你们演好戏给我们看。远道而来一定很疲倦了。今天，大家回到招待所好好休息一下吧！"

听了国王的话，演员们觉得非常光荣，立即跟随接待官员退下御前，都到招待所去了。

这时急急忙忙跑到演出团长身后去的人，是霍拉旭。

"好久不见了，团长先生！"

团长闻声微微吃了一惊，回首一瞧，发现以亲切的口气对自己讲话的人，原来是老朋友霍拉旭。

"呵，您不是霍拉旭先生吗？怎么会在这儿……"

"我是丹麦国王家臣的一员呀！"

"噢，原来如此。那好极了！我们出门在异乡，正感到无依无靠而不放心哩！在此地能遇着老朋友，那是再好没有的了。霍拉旭先生，希望您多多照顾我们！"

霍拉旭将团长伸出来的手紧紧握着。

"那还用说吗？您尽管放心好了，我一定会尽我的能力为您们效劳的。对我来说，这也是一件值得欣慰的事情，因为我正有一件事想拜托您办哩！怎么样，让我们来叙一叙分别的离情吧！到我家里去，一边喝酒，一边谈心如何？"

"遵命！今晚让我们喝个通宵，来畅谈久别的状况吧！"

"那好极了。我们现在就走吧！"

霍拉旭把团长带到离王城不远，一个由粗糙的木材所构成，像山上木屋一般的家里。霍拉旭家里只有一个忠实的男仆和一个做饭的老女佣，他们俩全都站在门口迎接主人回来。

"今天陪了一位老朋友回来，你们把所有的酒统统拿出来，同时，要做几样可口的菜来敬客。"霍拉旭这样吩咐仆人。

房间里的墙壁上，挂着好几个由霍拉旭和他的父亲所猎到的鹿头。还有弓箭、短剑，雕刻的盾等也都装饰在壁上。他们家是世代以勇武出名的，只要一看这些装饰品就不难想像得到。

"我希望你下次到我的领地去玩一趟。这间房子是我滞留在艾尔西诺城的时候暂时居住的，所以一切从简，没有什么像样的东西可以请您吃。不过，您千万不要客气，当着是自己的家看待，一切不必拘泥。请宽衣吧！"

霍拉旭一边这样说，一边将仆人端来的酒满满地倒了两杯，然后端起来碰了一碰说：

"这是我们久别重逢的酒。祝您健康！"

"霍拉旭先生万岁！"

互相祝福着，两个人都仰首一饮而尽。

菜一碗一碗地端了上来，不久，他们两人也觉得有些轻微的醉意，非常愉快而舒适。要知道他们已经很久很久没有见面了，所以，说说从前的回忆啦、分别以后的种种事情啦，无论怎样继续不停地讲述着，话还是不断地涌上来。

霍拉旭看到时候了，在仆人的耳边轻轻吩咐了几句，仆人频频点头，然后走了出去。

"团长先生，我想向您介绍一个人，让您也认识认识他。"

霍拉旭稍微收敛了一下容色，把身体朝着团长这样提议。

"要介绍哪一位？"

"是应该继承王位的哈姆莱特王子殿下。"

"噢，是哈姆莱特殿下吗？我早就听说过了，他是一位既有深奥的学问，武艺又出众超群的贤明王子，他的声誉在英国没有一个人不晓得。如果是他的话，应该说我求您替我引见才对呢！"

就在他们谈论的时候，霍拉旭的仆人一手高举着火把照路，已经陪着王子哈姆莱特到达了。

在威严的王子面前，团长好像连头也不敢抬起来。

可是，王子却很轻松地说：

"噢，原来你就是团长啊！我正期待着看到你们的好戏哩！不要拘泥，让我们以轻松的气氛谈谈吧！"

说着，拍拍正要站起来施礼的团长的肩膀，像对自己的亲友一般地对待团长。之后，三个人就开始谈话了。

"团长，有件事要拜托您帮忙！"

"既然这样，只要我能力所及，无不应命。不过，我是个戏子，我能够做的除了演戏以外，恐怕再也没有别的事情了……"

"就是想请您演一出戏呀！老实告诉您吧！这一次，王子殿下亲自写了一个剧本，我已经恭读过一遍，认为非常成功。王子希望把那本剧本叫人演出，我认为那样好的剧本不能随随便便让毫无名气的戏班演出。这次您们来到丹麦国演戏，就趁这个机会，想拜托您们来演……"

王子也从旁说：

"你已经听到了，也许这是个不合情理的要求，可不可以请你特别通融一下，帮一帮忙。"王子这样恳求着。

"能够用王子殿下所写的剧本来演戏，这可以说是我们这些演员的无上光荣，回到故乡英国以后，也可以成为本剧团光辉的一页，而值得大大自夸呢！但是，可不可以让我先恭读一下那本剧本，以后再……"

团长以惶恐的态度表达意见。

随着王子眼睛的指示，霍拉旭立即从书架子上取下王子预先交给他保管的那本剧本。

"那么，把这个交给您吧！"

说着就把剧本给了团长。

团长立即开始朗读。随着一篇、两篇地阅读下去，团长的面颊红润了，眼睛里也透出喜悦的光彩。

一鼓作气读完了剧本以后，团长说：

"这剧本没有一处需要修改的地方，就照这剧本演出，保险可以成为情节动人的好戏。我看了一个好剧本，从内心涌起一种立刻要排演的欲望来。请原谅我失陪，我想从今天晚上就开始排演这出戏。"团长看了剧本很满意，而且有不忍浪费时间的样子。

"那么，什么时候可以上演这出戏呢？"霍拉旭问。

"今天排演，明天再练习一天，后天就可以正式上演了。"

"这么快办得到吗？"

"请您放心，我一定做得好好的让您观赏。迅速是我们剧团的金字招牌之一哩！"

团长充满着自信，先退席回去了。

留下来的，只有王子和霍拉旭两个人了。

互相对望了一下，然后都微笑了。

王子写的剧本这一点是秘而不宣的，对外仅宣称要上演一出非常精彩的新剧，艾尔西诺城内为这个消息而轰动了。

开演的日子终于到了。大厅被装饰得琳琅满目，焕然一新。

舞台设在王座的正面，观众的座位设在王座的前面。开演前，场中已挤满了城中的家臣们，连走路都觉得困难，真是挤得水泄不通。

现在只差国王的御临了。演员们也早就准备妥当，只等待开幕。

王子哈姆莱特在舞台旁边的一个座位上。

王子时常用眼睛指示着霍拉旭，找一个便于观察国王脸色的座位。终于霍拉旭找到了一个最适当的座位坐下来。忠于王子的中尉和少尉两个人，像卫护般手提着长矛站立在王子的背后。

从远处注视着王子动静的，是罗崭和凯尔丹这两个背叛王子的坏人。

双方敌我分明地对峙着，比舞台上的戏恐怕还要好看。舞台上也正在演着戏哩！谁也不会知道，这种尖锐对立，一触即发的局面将如何结束。

惟一没有察觉到这种紧张气氛的人，恐怕就是奥菲利娅了。今天，她穿着一袭淡桃色的裙子，宽大而有褶皱的衣裳，秀发编结成两条辫子，分披在两肩上面，她的座位在王妃的附近，手拿着一把羽毛扇子，静待着开演。她的美丽特别惹人注目。

喇叭吹奏起来了。

这是国王御临的信号。

缓缓出现在国王背后的，是大臣波洛涅斯，他的眼光朝着全场睥视。再后面，就是两位刚好有事来到丹麦国的外国使臣。

大家看见国王入场，便一齐起立，等待国王入座。国王坐下来以后，站着的家臣们也纷纷坐了下来。

王子挤在人群中，却靠近霍拉旭的座位。

"霍拉旭，要聚精会神地看着呀！尤其当演到和父王遭遇相似的场面的时候，要特别注意！懂吗？"

听了王子的轻声叮嘱，霍拉旭用眼色答复王子："请不要担心。"

"那么，你就在座位上吧！我又得装一下疯子的行径了。"

说完后，王子即朝着国王的御座走去。

国王很快就发现了。

"哈姆莱特呀！你的情况好一点儿了吗？"

"情况吗？情况再好没有了，一切进行得非常顺利。再忍耐一会儿就好了。善者荣福，恶者灭亡，立刻分明。"

国王虽然不明白哈姆莱特所讲的含义是指什么，但是，做过伤天害理的亏心事的他，听来自然非常不好受。

"噢！看样子，你的神经还没有恢复正常，所讲的话叫人一点儿也听不懂，简直是胡说八道。"

王子却好像完全没有听到国王的话一样，揪了一下大臣波洛涅斯的白胡须，又跑到凯尔丹的身旁，把他头上的帽子摘了下来，然后故意把它前后弄反给他戴在头上。在场的人看得直发呆，有的还笑出声音来。

两位外国使臣，更被弄得莫名其妙，相互对望，满脸露着诧异的神情。

然后王子向奥菲利娅的身边走去。

奥菲利娅早就以忧悒的眼神，一直注视着王子的失常行为，内心替他忐忑不安。

"噢！你也来了。我怎么没有看见你坐在这里呀！好像在什么地方看到过小姐。"

"王子殿下！王子殿下不是还说过要我到修道院去当修女的吗？"

"到修道院去？喔，这话是谁说的？我可能是说要你去看戏吧！可是并没有说过要你去修道院的话呀！"

"啊！你好像什么都不记得了。"奥菲利娅忧伤地喃喃自语着。

"哪里会不记得！其实我过去的统统牢记在心上。唉！我的父亲两小时以前逝世的，对吧？"

"不是两小时以前，是好几个月的事了……"

"有几个月了吗？噢！我知道了。所以城中的人全部忘记了父王的逝世，一天到晚酒宴啦、观剧啦，尽情的闹着。我这才完全懂了。

"如果再过一年的话，他们可能会把自己为什么生到这个世界来的，也忘得一干二净了。不用说，小姐，我也早已不认得你是谁了。"

当王子乱七八糟地嚷着，东钻西钻的当儿，木笛吹出悲哀欲绝的音调。

戏马上就要上演了。骤然，闹哄哄的场内，立刻鸦雀无声，除了几声咳嗽以外，什么声音也没有了。

开幕前，道开场白的人走到舞台前面来。

"各位观众请注意！现在即将上演的新戏，叫做《捕老鼠》，是发生在某王宫里的真实故事。使人看了他的阴谋，会毛骨悚然。可以说在悲剧中，比这出戏更能使人一掬同情之泪的，不会再找得到了。戏的情节和对白，是出自当代第一流文学家的手笔，他是一位身份极高的人，特地匿名为本剧团撰写这部大杰作，本团演员为了报答这位匿名作者的厚意，用尽平生的力气来演出这出戏，敬请各位注意观赏，多多捧场鼓掌。拜托拜托！"道开场白的人退下之后，由团长所扮演的太公即出现在舞台上了。

8 新戏《捕老鼠》

这出戏的故事发生在奥地利,龚撒峨太公就是主人翁的名字。

太公:"我统治这个国家已经三十多年了,现在,人民安居乐业,国富民丰。可是,国家能有今天的太平富足,不是侥幸所能得到的,我曾经除强扶弱剿平四方敌人,不知有多少次,我曾经亲临战场,身先士卒,出入枪林弹雨中。如今回想起来,我到今天能够平平安安地活着,反而觉得像是一件不可思议的奇迹。反对我的、仇视我的敌人,已经全部被我平定了,现在是根基稳固、天下太平的盛世。这也可以说是仰仗所有冒死而勇敢奋斗的家臣们的功绩。"

太公夫人登场,并且说:"君王原来在此。"

太公:"噢,夫人!有什么事情吗?"

夫人:"不,不是因为有什么事情才来的。"

太公:"那么,在这儿坐坐,让我们一同来欣赏这花园的景色吧！今天的天气多明朗、多温暖、多爽快呀！"

夫人："啊！那边美丽的花朵上，像是有两只花蝴蝶落在那儿。"

太公："夫人啊！想起从前，不断的战争，留在城里的时间少得可怜，像今天这样和平的日子，简直太少了。可是以后就不同了，可以天天和你共享清福，一直到永远。"

夫人："是的！我们可以永远永远在一起了。"

从草丛里爬出一条蛇来。

夫人惊骇得发出尖叫声。

"啊！啊！啊！怎么办好呢？是蛇。"

太公急忙用拐杖把蛇的脑袋敲碎，并且说：

"你这个和平之敌，幸运的破坏者，知道我的厉害了吧？……哦，夫人！蛇已经被我打死，不用再担心了。牙齿藏毒的这类东西，是专门趁人不备时施行袭击，把别人的幸运搞得一塌糊涂的阴险家。"

夫人吓得脸色铁青，做出余悸未平的动作。

太公："哦，哦！看你吓成那个样子，我想你还是暂时回房休息一会儿吧！来人呀！有人在吗？"

侍从长登场，回答："有！有何吩咐？在此伺候。"

太公："夫人感到有些不舒服。扶她回房去吧！"

侍从长扶着夫人退场。

太公："我总想不通，创造这个世界的上帝神通广大，无所不能，那么，为什么一方面创造了花卉、蝴蝶等美丽的东西，而在另一方面又要创造出令人厌恶的毒蛇呢？又为什么不把人全部创造成善良的人，而偏偏要创造出一些专门欺侮善良人的坏蛋呢？还有，又为什么要创造出险恶的狼，放到羊群里面去呢？"

太公一边思考着，一边踱到一棵枝叶茂盛的老树荫下休息。

"这个树荫太好了。暂时就在这儿休息一会儿吧！……啊！不知道为什么这样困。上眼皮和下眼皮太要好了，它们好得使人睁不开眼睛。这时候，平时的疲劳像是全部爆发出来了。睡一个小时也好！"

太公横倒在草丛中，曲肱当做枕头就睡了下去。不一会儿，就发出轻微的鼾声来。又有小鸟儿的啭鸣声，还有从远处传来悠扬的笛声。

太公的侄儿路西亚那斯登场。

路西亚那斯一瞧见太公独个儿在树下午睡的姿态，不觉一愣站住了，然后再打量一下周围，确定没有人之后，就轻轻地一步一步走到太公的身旁。

路西亚那斯独白：

"伯父在睡觉，像是毫无知觉地酣睡着。睡眠不就等于死去一样吗？尽管在战场上是勇猛无比的伯父，睡眠的时候，还不是和婴儿没有什么分别。不过，伯父一向机敏过人，我可不能大意，外表看来像是在睡觉，万一实际上是假寐的话，那可不是好惹的。还是先叫他一声试试看吧！"

路西亚那斯立刻又靠近太公几步。

"伯父大人！"

喊了一声，可是没有回答。

"伯父大人！"

又喊了一次，比第一次的声音大得多，还是毫无反应。

路西亚那斯面露得意的狞笑。

路西亚那斯独白：

"好极了！真的睡得像死猪一般。这种好机会以后不可能再有了。……除掉太公，篡夺他的地位，这个阴谋在我胸中已经蕴藏有十年以上了。只要把太公害死，这个国家就归我所有了。太公虽然有一位王子，可是他还年幼不足惧。至于那些家臣，都会服从我的。大臣亚历山大是我的同伙，这个阴谋原本就是他教我的。所以一定是万事顺利！可是伯父一向很信任我，很爱护我。现在要我亲自下手杀死他，实在有些不忍，良心也会受到责备。浑身打起哆嗦来了。噢！勇气！要拿出勇气来才行呀！"

路西亚那斯从怀中摸出一个盛着毒药的小瓶子。

"用这个东西的时机终于到了。可怕的毒药！在深夜从毒草中榨取出来，再经过魔女念了三次咒语，比这个更猛烈、更灵验的毒药再也找不到了。只需一、两滴送进人体内，立刻会漫布全身，十秒钟就可以致人于死地。"

路西亚那斯蹲在酣睡着的太公身边，又向四周探视了一下，然后装出将毒药灌入太公耳朵里的动作。

当戏正演到这里的时候，在看戏的克劳狄斯王，突然脸色骤变，从王座上站了起来。

"怎么啦？是不是觉得不舒服？"

王妃被国王的突然行动吓了一跳，也随着站了起来。

国王只是颤抖着嘴唇，说不出话来。

"戏，戏，戏，立即停演！"

他好不容易迸出这么一句话，就蹒跚着走向内厅去。

波洛涅斯的白胡须也根根竖起。

"戏停止演！马上停止！是国王的命令。马上停止呀！"他大声疾呼。

人们乱哄哄地叫喊着，拿着烛火退出。刚刚还那么热闹的大厅，立刻就变成一片黝暗，空洞洞的像废墟一般的静寂。

只有哈姆莱特和霍拉旭两个人仍然留在那里。

"你观察出来了吧？"

哈姆莱特的声音非常兴奋。

"看清楚了。王子殿下！"

霍拉旭的声音也充满着无法隐藏的兴奋。

"演到毒药那段道白的时候,国王脸上的表情简直无法形容。"

"是无法形容的苦脸吧？"

"波洛涅斯这个老家伙，到了后来脸色也变成白纸一般，并且不想再看，竟闭起眼睛，又用两只手捂起耳朵，浑身发抖。"

"唉！这样看来，那个老狐狸精还有点儿良心存在哩！虽然他们没有亲口招供，可是他们的脸色已经说明了一切。"

"噢！这样看来，那个亡灵的确是父亲显灵了，绝不会是幻影，也不是我们听觉上发生了毛病。霍拉旭，现在知道国王就是父王的仇人，你看以后该怎么办呢？"

"第一，还是要镇静一下心情要紧，太急会招致失败的。所以，我以为您暂时仍然装疯，比较方便。"

"今天晚上去你家再商量吧！"

"是！我一定等您，王子殿下！"

霍拉旭一面用衣袖遮盖着面孔，一面向王子告辞，退出大厅而去。

现在，王子已经明确地知道克劳狄斯王是真正的杀父仇人。同时，对于克劳狄斯王产生了一股新的憎恨，像火焰般燃了起来。

王子走出大厅，刚要跨进走廊的时候，碰到了慌慌张张从对面走过来的罗崤和凯尔丹两个人。他们一看到王子就立刻奔了过来。

"我们一直寻找您哩！王子殿下！"

"找我有事吗？"

"是的，因为有一句话必须报告您。"

"什么？只有一句话吗？何必这样客气呢？十句、百句、千句，你们尽管说吧！"

"那么让我来报告您，国王陛下……"

"国王怎么啦？"

"自从退回房间以后，非常不快乐。"

"哦，是吗？是不是和往常一样，喝醉了酒呢？"

"不是那么简单的。说他不快乐，不如说他非常生气。"

"生气不就是指发脾气吗？到底是什么事情触怒了他呢？什么？你说是那出戏触怒了他？这可怪了！根本没有触怒他的理由呀！那是发生在奥地利的事情，离得相当远的那里不应该和他有关联的呀！这样说来，就是说温暖的奥地利和寒冷的丹麦，一个南，一个北，虽然相隔这么远，大概人的心可能是一样的喽！在奥地利是坏事，在这儿也认为是坏事，对不对？哈，哈，哈！真有趣！"

"不！一点儿也不好笑，更不是有趣的事。国王陛下召王子殿下前去，还有，到了国王陛下的面前，希望您出言要谨慎些比较妥当。"

罗嵜说完以后，凯尔丹也迈前一步说：

"王子殿下！王子殿下曾经赐给我深挚的友情。"

"唔，现在也是一样呀！我对你还是有这么多的友情啊！"

说着，王子将双手伸开，做出要拥抱他们的样子。

"国王陛下不知道什么缘故，像是对您怀着疑惑似的。对于您的疯狂，在没有知道真正原因以前，总认为是伪装的。王子殿下！您不满的原因我是晓得的。照理，王位应该由王子殿下来继承才合理……我们两个人在外国得悉实情后，曾经替你抱屈得流下泪来。可是，现在已经什么都迟了。城里无论哪一个人，没有不服从国王命令的。所以不管您有多大的委屈，还是温驯一点儿比较安全。将来一定会有花开的日子到来。等待命运的转变吧！王子殿下，使您疯狂的原因是不是这件事呢？……"

王子以一种茫然的神情瞧着口沫四溅、喋喋不休的凯尔丹的脸孔。

"你讲的话，我一点儿也不懂。喂，喂！在那边走路的演员先生稍停一停！"

王子喊住了一个想悄悄躲避他们三个人而走过的演员，演员像是吃了一惊，站住了之后连连叩头。

"插在腰间的笛子借给我看看。"

王子将笛子接在手上横看完了又竖看。

"唔！这根笛子像是会发出动听的音调。凯尔丹君，你吹给我听听吧！"说着就将笛子递给了凯尔丹。

"请不要开我的玩笑！我对按哪一个洞会发出哪一种音、怎么吹才会响，一点儿也不知道……"

"这一点儿也不难的。能够说谎说得这么高明的人，吹吹笛子更是轻而易举的事了。"

王子边笑，边瞟了发慌的凯尔丹一眼。

"我？我怎么会说谎？太冤枉我了。"

"靠不住吧？不见得冤枉你哦！噢！来了！来了！大臣阁下亲自出马来接我了。波洛涅斯阁下，他好像喜气洋溢！"

波洛涅斯从走廊的那边，拄着拐杖走了过来。

"国王一定要您去一趟。"

波洛涅斯靠近以后，向罗崭和凯尔丹丢了一个眼色。两人像是会意了，默施一礼之后退了回去。

"王子殿下！那么，现在就请您和我去一趟。"波洛涅斯急忙催促着王子同行。

"你要我去哪里呀？"

"国王的御前。"

"我现在还不太方便。"

"为什么呢？"

"我想吹这个笛子玩一会儿，你就这样回复国王好了。"

波洛涅斯心里想，由我看来，王子实在神经不太正常。

王子哈姆莱特在走廊上踱来踱去，来回散步，过了一会儿走到阳台上，然后再沿着外围的城壁毫无目的地乱走。月亮实在太美丽了，他竟吹起向演员借来的笛子。

"国王一定等得不耐烦了，请快点儿和我去吧！"波洛涅斯催促他。

"好的，好的！"

虽然王子连声答应，可是仍然还是走个不停。

走到看不见波洛涅斯影子的地点，王子仰起头来，对着空中皎洁的月亮喃喃自语起来。

"哈姆莱特呀！时机终于成熟了。今天晚上，非把那个恶王的脸皮剥下来不可！同时，数说那个恶大臣的种种罪状，使他连哼也哼不出一声来。勇敢先王之子哈姆莱特呀！你继承了先王的勇气，要给恶人们一点儿厉害尝尝才对。……不，不！太急会坏事的。霍拉旭不是也说过了吗？今天晚上，还是不要把事情弄僵了才好！过些时候，抓到更确切的证据时再干也不迟。还是在这儿多休息一会儿再去吧！像今天这样好的月亮实在难得遇到。"

王子登上城壁的石阶。

海上风平浪静得像一面镜子，月光普照着。

另一方面，克劳狄斯王觉得今晚所看到的舞台上的一幕，紧粘在眼前不散，四面八方好像都站着先王的影子怒视着他。

他想借一种刺激来平静这种惶悚不安的心情，于是斟满了一杯酒，一下子全都灌进肚子里去。

"再斟！这酒淡得像水一样，拿烈酒来！淡酒怎么喝也不过瘾。"国王伸出喝干了的空杯，侍从人员又满满地斟上了。

可是说也奇怪，无论喝下多少杯酒，总是不醉。只觉得头痛，痛得有如被锥子钻着一样难熬。

这时，方才离开王子身旁的罗嵚和凯尔丹两人回来了。

"带王子来了吗？"国王一看到两个人，立即就问。

"还没有带来。不久之后，波洛涅斯阁下会带王子来拜谒您的。"

"是吗？这样就好了。如果就这样轻易放过王子。我会觉得连睡觉也不能安心的。虽然话是如此，可是却不能对他怎样。因为他在丹麦国民中间相当有威望，如果处理不当，后果堪虑。"

国王捧着脑袋不知如何是好。

"那么，陛下打算怎样处置王子呢？"罗崭这样发问。

"无论从哪一方面想，我总认为他不是真正发疯。"凯尔丹好像是赞同国王的意见一般。

"是的，王子确实是假装疯狂，我已经抓到证据了。"说这话的原来是大臣波洛涅斯。

"你怎么知道的呢？"凯尔丹向着走进来的波洛涅斯急问。

"在我去召王子的归途上，偶然经过演员们宿舍的门前，听到他们在轻声谈论，今天上演的剧本，原来是王子所撰写的。"

"啊！那么，这次是上了王子的当了。我们本想陷害他，结果反被他所算计了。"国王气得七窍冒烟，咬牙切齿。

"如果再让他这样逍遥自在下去，也许我会被他消灭呢！可能我是注定要遭到他的戕害吧！"

"国王陛下，我波洛涅斯，还有罗崭君和凯尔丹君，到那时还不是要遭遇到同样的命运吗？先下手为强，不能再呆呆等待了，否则将会遭到不测的灾祸。"波洛涅斯用恐怖的眼神环视着三个人。

"嗯！不如把王子召来，将他绑出去斩首。……要不，再用装毒药的小瓶儿，趁王子熟睡的时候，滴上一滴在他的体内。"国王在想尽办法，要置王子于死地。

"行不得！做不得！不能再做出这种引人起疑的事情了。不如照陛下上次所想的办法去做最为妥当。"

"什么？我上次所想的办法？我记不起来了。是什么样的办法呀？波洛涅斯！"

"原来陛下已经忘记了。我是说把王子以使臣的名义派到英国去。"

　　"噢！这点我倒完全忘记了。波洛涅斯，你的记性可真了不起！"国王欢喜极了。波洛涅斯接着又对罗崭和凯尔丹两人说：
　　"我想请你们两位做王子的随员，你们肯不肯答应？"
　　"大臣阁下，用不着问，我们一定效劳！"
　　"你们肯满口答应，真是再好也没有了。我也非常高兴。那么，事不宜迟，请你们立刻去准备行装。我现在就撰写给英国国王的国书，你们可要当面递呈给英国国王，千万不要忘记这一点才好。"
　　罗崭和凯尔丹恭恭敬敬地行了一个礼，便各自退下了。
　　接着，国王又把所有的近侍打发离开房间，便和波洛涅斯小声密议了好久。

　　"咯噔"、"咯噔"，阶梯上传来了脚步声。
　　"王子殿下来了。"
　　"是哈姆莱特的脚步声。"
　　两人面面相觑。
　　"那么，对王子说话要和蔼一些！"
　　"知道了，你放心好了。"
　　"那么，我也退出去吧！噢！我不能放心！王子将会对陛下采取什么样的态度呢？我看我还是暂时躲在窗帘背后观察他的动静比较妥当一点儿。"
　　波洛涅斯匆匆忙忙躲到窗帘的后面去了。
　　哈姆莱特王子照旧把胸襟的钮扣开着，拖着腰间的挂剑，发出"铿锵、铿锵"的声音，出现在门口。
　　"噢！是王子。再靠近来一点儿吧！"
　　王子直瞪着国王，可是他的眼神却空虚得很，好像没有看见任何东西一般。

"坐在那里的是什么东西！"

"是你的叔父，嫡亲的叔父，丹麦国王克劳狄斯！难道你不认得吗？"

"唔！这么说来，看起来像是人的形状喽！有什么事情？听说找我哈姆莱特。"

"忙什么！先坐下来再谈吧！"

可是王子仍然站着，眼睛老是直瞪着空中的某一点，一会儿之后，才蠕动着鼻子说：

"这间房子里充满着臭味。臭味！是罪恶的臭味！杀人犯的臭味！看！你的脸上写得明明白白，你还不懂吗？你是说没有看见过自己的脸孔吗？让你瞧个清楚吧！"

王子走到墙壁边，把挂在壁上的一面挂镜取了下来，然后捧着回来，放在国王的面前。

"你瞧一瞧这面镜子吧！映在镜子上面的不只是你的脸，你的心也赤裸裸地映在上面了。不要移动，就这样瞧着镜子就知道了。"

国王觉得不安，想站起来，可是却被王子压住了肩膀，强制他仍然坐在镜子前面。

"你想干什么？哈姆莱特！好小子。你想杀死我是不是？有人在吗？武士们都到哪里去了？快来人呀！王子叛逆了！来，把他拖下去！"

波洛涅斯也忍耐不住了，连忙从窗帘背后奔了出来：

"喂，喂！没人吗？连一个都不在吗？快来救驾！快来救驾呀！"波洛涅斯大声求救。

"坏蛋！你这只老鼠！拿命来！不能让你再转世出现在这个世界上，不能再让你的阴谋得逞了！"

鲜血应声喷了出来，染红了窗帘，波洛涅斯的身躯朝前弯下去。

"啊！被杀了。没命了。雷盖兹，我真是遗憾之至！……奥菲利娅，你在哪里呀？"

波洛涅斯断断续续地喊着，双手紧抓住国王御前的栏杆，痛苦地喘息了一会儿，终于气绝身亡，倒在地板上不动了。

王子手中仍握着宝剑，俯视着这具尸体。

就在这个时候，国王已经挨近门口了。

枪、矛"铿铿"作响，卫兵们这时才聚拢来。

一看到拿着染满鲜血的宝剑的王子，大家都被这个凄惨的情景吓呆了，个个屏着气息围聚在门口，谁也不敢贸然出手。卫兵之外，那两个忠于王子的中尉和少尉也混杂在人群中。

王子一边将惨白的脸孔往后转了过来，一边说：

"不必惊慌骚动！这不过是杀了一只出没在国王寝室的老鼠罢了！来人，快把躺在那里的老鼠尸体搬开，以免妨碍观瞻。"

王子命令了之后，又把剑上的血擦干净放回剑鞘内。

国王被王子的威严慑服了，连一句话也讲不出来。况且，那两个忠于王子的中尉和少尉，正虎视眈眈地注意着卫兵们的动静，如果卫兵敢出手加害王子的话，他们一定不惜拼命一战的。所以，纵然国王有意下达命令逮捕王子，恐怕也不敢贸然出口了。

两个士兵将波洛涅斯的尸体拖了出去。

"那么，国王请休息吧！今晚您可以放心睡觉了。大家解散，各就各位！"

听了王子的话，士兵们把枪和矛放下，向国王施了一个礼之后，便陆续退了出去。

国王只好茫然望着他们离去，别无办法可施。

9 海盗船

"爸爸怎么这么晚还不回家，不是已经快到凌晨两点钟了吗？……听人说宫中发生变故了。不知道是什么缘故，今天夜里觉得心惊肉跳，想睡一会儿，可是总做些不吉祥的梦。祈祷上帝保佑我爸爸，不要在他身上发生可怕的事情！"

奥菲利娅又从床上爬了起来，穿着垂地的睡衣，走到神像跟前，把蜡烛点上。

一推开窗户，月光照耀得满房间通明。

庭院上的花草也被月光照得如同白昼一般鲜艳夺目，有一股使人窒息的花香飘进鼻腔里来。

就在这个当儿，大概发现了什么东西吧！奥菲利娅突然"啊"的大声尖叫起来。

这是因为发现树底下有人，不知道是谁，他站在那儿一直向奥菲利娅这边望着。

虽然觉得可怕，由于好奇心驱使，奥菲利娅很想知道那个人究竟是谁，所以也目不转睛地盯着他。那个人却渐渐地靠了过来。

"王子殿下!"

因为事出突然,又过于奇怪,她感到将要失去知觉,就从喉咙里面喊了一声。

那个人是王子哈姆莱特!

走到窗口边,王子站住了,默默地一声也不言语。

"王子殿下!这样的深夜,怎么还会到这儿来呢?"奥菲利娅尽力将心悸平静下来,而且面颊上泛起微笑,这样轻轻地问。

"奥菲利娅,还在等着你的爸爸回家吗?"

"是的。"

"这是徒劳啊!你的爸爸不会再回家了。"哈姆莱特的声调非常阴沉。

"这是什么意思呢……"

奥菲利娅虽然觉得一定出了什么乱子了,心中一阵慌张,可是她连做梦也不会想到她的父亲已经不在这个世界上了。只觉得事情有些蹊跷,就斜着头,等待着王子回答。

"波洛涅斯刚才被我亲手处决了。"

"噢?"这句话怎能使她相信呢!

"丧父的悲哀、怨恨,我哈姆莱特比谁都清楚。所以,奥菲利娅,您的悲怨、伤心,我是完全明白的。如果你觉得自己的悲哀深刻的话,那么,我的悲哀是如何的深刻,你当然可以想像得到,而会寄以同情。在我未把应做的事做完以前,希望你暂时把我的性命借给我。总有一天,这柄吸过波洛涅斯的血的宝剑,也会来吸我的血的。"

王子说完了以后,对奥菲利娅像是非常同情似的望着。奥菲利娅双手紧握着窗棂,全身力气好像已消失得干干净净,终于倒在地板上痛哭失声。

王子哈姆莱特将她的哭声留在背后，一个人从照满月光的庭院，越过了几道矮墙，走到外面去了。

王子东拐西绕着走了一会儿，最后，跑到了霍拉旭的房子那儿。

因为霍拉旭和王子曾经有约，所以还没有睡。王子用手指头在门上轻轻地敲了几下，旁边的小门立即开了。

"恭迎，恭迎！请进！"

"今夜可麻烦你了，我衷心地感谢你。"

"这些话还是免了吧！第一，哈姆莱特殿下，今夜您干得真是利落极了。只一刀就把奸臣解决掉了……"

"噢！这消息已经传到你的耳朵里了。好快！"

"是那位中尉特地跑来告诉我的，他跑得上气不接下气。"

· 83 ·

"也许干得太早了一点儿，因为当时实在忍不住了。……可是，以后的问题可不好应付了。霍拉旭，你以为怎么样？"

"是的。今后将会发生种种难题，国王也绝不会就此罢手。他一定在绞尽脑汁计划着报复的手段，所以，战斗已经打开了呀！不过，国王的心腹波洛涅斯已经被除掉了，这一点在敌方可说是绝大的损失。"

"哦！不过，你也不要忘记新的敌人又多了一个呀！"

"新的敌人？"

"是波洛涅斯的长子雷盖兹呀！据说，那个家伙现在在法国跟随一个剑术高手，每天勤奋地练习着，他的剑术已经相当精练了。这个劲敌可能要比老朽的波洛涅斯强上十倍也说不定。"

多事的一夜终于过去了，曙光照亮了大地。克劳狄斯王昨夜一定没有好好阖过眼，他揉着睡眠不足的眼睛坐上了王座。

"立刻召哈姆莱特来参见。"

哈姆莱特跟罗崭出现在大厅上。

"哈姆莱特,你有没有见到波洛涅斯?"

"我曾看见他在用早餐。"王子也故意装出若无其事地回答。

"他在什么地方用早餐呢?"

"记得是在天堂里,可能是我记错了。那么,一定是地狱吧!"

"你近来的疯狂行动,连我也觉得太过分、太不像话了。如果传扬出去,对国家太不体面了。因此,你必须立即远离这个国家,我派你到英国去! 这是我的命令,不容你稍微反抗。"

"到英国去吗? 国王!"

"我会写信给英王,让你暂时在英国当客人住一段时期,这样,所有对你的坏传说也就会消失了。"

"好极了! 这是我求之不得的。对于艾尔西诺城的生活,我早已经过得厌烦了。那么,什么时候走呢?"

"王子哈姆莱特公出的船舶,早已经准备妥当了。今天风很平静,一切的准备也已经齐全。"

"那更好了,再好也没有了。"

"随员是你的幼年朋友……"

"是谁? 霍拉旭吗?"

"我决定派罗崭和凯尔丹两个人去,他们也早已经整装待发。递交给英王的我的亲笔书信,也交给他们两人妥为保管。"

"是罗崭和凯尔丹,这个办法也不坏。"

"那么,你也回去收拾一下!"

"一切遵命。"

王子略施一礼,就返回到自己的房间去。

瞧着王子的背影消失了,国王在内心冷笑一下,意思是这一次可要叫你知道我的厉害了。

交给罗崭保管的致英王的信里面，其实写的是即刻杀死哈姆莱特一类的话。

"英王呀！请您顺利完成。如果能够代我把王子除掉，我将赠送许多礼品酬谢您。"

王子被逼到英国去的消息一瞬间传遍了全城。

大家都为了哈姆莱特王子即将离开丹麦国而悲伤。

下午船就要开了。

船上张起了大帆，然后在平静无波的海面上开始航行。

不受丹麦国王欢迎的英国戏班全体演员，也乘这一艘船被送回英国去。

航海是非常愉快的。不久，夕阳西斜，前方的晴空被夕阳染成金黄色，而金黄色天空又反映到海面上，把海水也染成一片金黄，实在美丽极了。

船上搭乘一群英国的演员，那种热闹的情况就不必提了。有的吹笛，有的拉小提琴，有的弹吉他，有的弹竖琴，大家都唱着快乐的歌曲。其他的船客静静地欣赏着音乐和歌声，都忘了离别的悲哀，也忘了晕船的痛苦，只觉得无比的愉快。不料，到了第二天的黄昏时分，风速加快了，波浪也随着大了起来。

女演员们一遇到船向左右前后上下摇摆，立即失去了愉快的情绪，个个像病人般的开始呻吟。

王子哈姆莱特倒不怕晕船，但他心里却为另一桩事情而困扰。那就是关于凯尔丹谨慎保管的那封克劳狄斯王致英王的国书。

"里面究竟写的是些什么呢？无论怎样也要想法子看看那封信的内容才能放心。而且当船快开的时候，前来送行的霍拉旭在说完告别的话之后，还特别把嘴靠在我的耳朵边说：'您必须注意那封国书。'可是，那两个家伙非常小心，对国书从没有放松过，始终藏在身上，像这种情形实在无计可施了。我看，总得想个办法才行呀！"

王子绞尽脑汁，一直设法想取到国书一看究竟。

过了一会儿，他终于想出了一个计谋。于是，他很自然地跑进水手的房间，水手一见到王子殿下驾到，都不禁被吓了一跳，个个连忙整理衣容。可是王子却制止了他们这样做。

"不必介意，兄弟们！在船上又何必要分上下贵贱呢？如果遇难的话，不是大家都一样变成溺死鬼，一点儿也没有两样吗？"

王子的民主风度和轻松的谈吐，立即获得水手们的好感，而成为他们的知心朋友了。

然后，王子又赏给水手们金钱，水手们当然皆大欢喜。

"怎么样？我提议把我王子的衣服和你们水手的衣服交换着穿一会儿，一个小时就够了，有人愿意交换吗？"

听了王子的提议，平时天不怕地不怕的水手们，也都认为事件重大，后果难料，而竟没有一个人敢说话。

"唔，那么这样办吧！我这里有一个金币，肯和我交换衣服的人，就把这金币赏给他。"

"重赏之下必有勇夫。"这话果然不错，其中有一个水手跄跄地走到王子前面来。

王子非常欢喜，立即把自己的衣服脱下来交给水手，自己穿上水手的衣服。

王子穿上水手衣服是不相称的，因为他的脸和手脚都非常白嫩，看来一点儿也不协调，谁也能看得出他绝不会是真正的水手。王子大概也发觉了这一点，他又跑到演员们住的船舱里去。

当团长看到王子穿一身水手的装束，不觉吃了一惊。

"王子，您是在演什么戏呀？"团长这样发问。

"嘘，不要声张！团长，我想拜托你，请你把我打扮成一个让人看不出是假冒的水手好不好？"

"为什么要这样做呢？"

"理由请你不要问。"

"好的。只要是您王子殿下所吩咐的事情，我就是粉身碎骨也不会推辞的。况且，霍拉旭先生曾再三嘱托我注意王子殿下的安全呢！"

·87·

团长说完以后，就开始替王子打扮起来。化装全部完成后，团长取出镜子让王子瞧，映在镜子里的脸形，王子无论如何也不相信那是自己的脸，可说巧妙极了。

"真妙！真是妙极了！这个模样儿，任谁也看不出是我哈姆莱特王子伪装的。"

"无论怎么样注意，无论谁来看，都会说是一个货真价实、地地道道的水手了。"

王子满怀喜悦，立即向罗嵩和凯尔丹两人的房间走去。一手提着一只铅桶，一手提着一柄头部绑着抹布的拖把。

"我来替两位打扫房间。"他故意改变了声音说着走了进去。

两人因为无事可做，相互在玩着扑克牌。凯尔丹瞟了水手一眼。

"你还是第一次来这儿打扫，从来没有见过你。"

这样一说，倒把王子吓了一跳。

"是的。因为负责打扫这间房子的水手晕船了。"

王子在无可奈何之下，撒了个不太高明的谎。

"真是笑话！水手怎么也会晕船呢？那不是等于说鱼不会

游泳一样的可笑吗？"

"不！他虽然是水手，可是刚来不久，所以……"

这时罗崭转过头来了。

"胡说！满嘴胡说八道！他告诉过我，他已经当了十八年的水手了。"

王子心想这次可糟啦！一定会失败了！

幸亏他们俩不再追问下去，也没有怀疑，收拾好扑克牌以后，就对假水手说："你打扫房间，我们在甲板上等吧！"然后，就站起来走了出去。这时，王子的心才平静下来，不觉吐出一口气。

当他们两人的脚步声消失在门外的时候，王子立即动手搜查可能藏匿国书的地方。因为罗崭和凯尔丹两人，做梦也不会想到王子会打扮成水手来搜查房间，所以一时大意了。国书是装在一个青铜的管子内，藏在凯尔丹的枕头底下。

王子将国书抽出放进怀里，把青铜管仍旧照样放在原来的地方，看不出有人动过的样子，然后装出若无其事的神情开始打扫。

王子跟水手把衣服换回来，又恢复了本来的面目。

王子回到自己的房间之后，急忙打开从凯尔丹的枕头下取来的国书，阅读到后面时，王子的脸色突然变了，因为国书的最后一段是这样的：

　　为了丹麦国的和平，为了英国的安全，对于英国心怀不善的王子哈姆莱特，如果使他活下去，将会后患无穷，是一件非常危险的事情。将来他如果接任丹麦国王，一定会起兵攻击英国的。阅毕后，请不要再浪费磨斧的时间了，即刻把哈姆莱特的脑袋砍掉，解除祸根为盼。

王子看完之后，取出一张纸，学着国王的笔迹重写了一遍，写得惟妙惟肖，与国王的笔迹分毫不差。最后一段改为：

　　携带此国书的两个使臣，乃是阻碍贵国与我国邦交的坏蛋，所以不必再加询问，立即斩首为盼。

第二天，王子以同样的方法化装成为水手的样子，将改写过的国书放回凯尔丹枕头下面的青铜管里，这件事没有一个人知道。

当天因为风浪还是相当大，所以船的速度不快。

当船驶进法国海峡的时候，从汹涌的波涛之间，忽然驶出一艘速度快捷的船只，朝着王子的座船划了过来。

"停下来！"

"船赶快停住！"

有人从那条船上高声呼喝着，同时"呼"的一声，划破狂风吹来一枝白羽箭，插在王子的座船上。

"啊！是海盗。"

"是海盗船来袭击呀！"

这边船上的人立刻惊慌起来。

自认有能耐的人，各自拿起武器，拥到甲板上等待敌人到来，以便迎战。海盗船的船首猛向这边撞了过来。

一见就令人害怕的凶恶壮汉，蜂拥到这边的船上来。同时，一场激烈的战斗展开了。那批演员和其他的客人都躲到船舱里去，个个脸色吓得变成紫色，紧张得挤作一团。

罗崃和凯尔丹他们俩本来就是胆小如鼠的，这时竟也挤在演员们中间，头上还用女演员的衣裳遮盖住。

"请上帝保佑，千万救我一命！"

他们俩嘴里喃喃祈祷，吓得连头也不敢抬起来。

王子却非常勇敢，这时已将两、三个海盗打下水去，然后又跃身跳到海盗的船上去杀敌。

不料，王子跳到海盗船上之后，两船之间的距离越来越大了，王子的座船竟在转瞬间离得远远的。王子看在眼里，急在心里，不觉愣了一愣。就在王子出神不注意的当儿，海盗投来一条绳子套住了王子的脚，王子立刻被拖倒在甲板上。海盗们一窝蜂似的扑叠在王子身上，王子终于变成了俘虏，双手被绑在背后，连动弹也不能了。

"首领！这个俘虏怎样处置呢？"

"就这样把他抛进海里去，水葬好不好？"

"要不然，就把他扒个精光，再一刀砍成两段，丢进海里去好吗？"

海盗们捉住王子之后，各自议论纷纷。

"别忙，等一下！"威风凛凛的声音响处，出现了一位年轻的壮汉。

"这个眉清目秀、武艺高强的年轻人，绝不是个无名小卒。不查出他的姓名来就杀掉他，未免太可惜。喂，青年人！我一直在看着你奋勇战斗，对于你的勇猛和剑术非常敬佩。你是哪里人？姓什名谁？快报告上来。"

王子看了他一眼，然后以悲壮的口吻说：

"如果你想知道别人的姓名，照理应该先报出自己的姓名来才是。终究你是个下贱的海盗，难怪连这点礼貌都不懂，可笑

之至！"说完，便张着大嘴哈哈笑个不停。

王子说出这一番不知死活的话，以为对方一定会大发雷霆的。可是说也奇怪，那个海盗首领竟抓着头皮说：

"唔！这是我不好。你说得有理！那么，我先告诉你吧！我现在虽然做的是为人所不齿的海盗，但我本来是挪威国王的后嗣，名叫福京普拉斯。"

"噢，原来你就是福京普拉斯殿下！我们虽然还是第一次见面，可是有关您的事情，我早就听人说过。不瞒您说，我就是丹麦的王子哈姆莱特。"

"啊，您就是哈姆莱特殿下！"

"这真是不可思议的因果。击败您父君的人，是我的父王老哈姆莱特。父王死后，您所视为仇人的该是我小哈姆莱特了。虽说这是偶然，不过，我现在已经成为您的俘虏，可说这是上帝公平的安排、公平的制裁啊！请吧！不用客气！就把我哈姆莱特剁成肉酱来泄愤，来报您父君的深仇吧！……哎！回想起来，我哈姆莱特的命运也实在太坏了。如今！连父王的仇也报不成了。"王子仰空叹息。

那一直注视着王子态度的福京普拉斯，这时却对手下人喝道："来人！快把捆绑哈姆莱特殿下的绳子解开！"他这样下达命令。

手下人立刻取出小刀，把捆绑哈姆莱特的绳子一条一条地割断。

王子反被弄得莫名其妙了，好像在做梦。

"为何要松开我的绳子呢？"

"我福京普拉斯最不喜欢乘人之危而做出鬼鬼祟祟的勾当，我父王的死，是在一对一公平的情况下，因为他技不如人而被老哈姆莱特王所杀的。能死在战场上，就作为一个武士的人来说，可以说是光荣的死，父王在九泉之下也能瞑目了，我怎会认为您是父王的仇人呢？假使我们在战场上见面，因为敌我的关系拼个你死我活，那倒未尝不可。可是在这种场合施行报复，那是我做梦也不曾想过的。听了我的话，哈姆莱特殿下，你是否仍然认为我福京普拉斯是一个不懂礼貌的粗鲁汉呢？"

王子挨近福京普拉斯的身旁，然后紧紧握住他的手。

"谢谢您，福京普拉斯！我还有一桩心愿未了，我虽然不甚爱惜这条性命，可是暂时还必须活着。"

王子说后，便把父王如何遭人谋杀，这次去英国潜伏着如何的危险，以及自己的遭遇等等，一五一十地告诉了福京普拉斯。

"同伴里面有敌人，敌人里面有同伴。"这话说得很不错。

两人像十年旧知一样的亲密，披心露胆，还欢饮畅谈。福京普拉斯听了王子的话，十分同情王子的遭遇，并且也把自己和王子同样悲惨的命运说了出来。原来福京普拉斯也是王位被叔父篡夺，如今连安身之地也没有，过着四处漂泊的生活，不得已，只好和旧部属干起海盗的勾当。

"我看，把您送回丹麦的海岸去吧。我父王的旧部下因为不愿意效命新王，散居在各地等待我高举讨伐的信号。如果一旦通知他们的话，一万、两万人的军力，很快就可以聚合起来的，您假使需要我帮助的话，我随时都愿意为您效劳的。"

"感谢您的厚意，福京普拉斯殿下。到时也许会借助您的帮助。"

"那么，当您登陆丹麦的时候，我派两个部下跟随您去。如果有事想跟我取得联络，只要吩咐他们一声，我就知道的。"

世界文学名著宝库

10 织有花纹的地毯

在法国首都巴黎学习剑术的雷盖兹，也听到了故乡丹麦国王子哈姆莱特发疯的消息，和父亲波洛涅斯大臣被谋杀的传说。

热血汉雷盖兹听了这个传说以后，哪里还有心思再呆下去。

他立即就搭乘便船，事前也不通知国内任何人，就直奔回丹麦而来。久离故乡，一经重踏乡土，所看见的东西无一不觉得亲切。

可是城门的守兵却举出长枪。

"你是谁？有什么事要通过城门？"守兵大声喝住他，不准他通过。

"本人是国王的家臣雷盖兹，刚从法国回来，请立即传报国王陛下。"

"哦！原来是雷盖兹先生。好，请进来吧！"

等雷盖兹一走进城门，守兵就吹起喇叭来。雷盖兹归国的消息，立刻传遍了城内的每一个角落。

"据说雷盖兹回来了，是真的吗？"

国王虽然也听到了这个消息，可是却半信半疑。就在这个时候，只听见一阵脚步声，雷盖兹已经闯进大厅来了。

"快告诉我！国王呀！我的父亲在哪里？"

"说起来实在可惜得很，你的父亲已经不在这个世界上了。"

"那么，我再问你，我的父亲是怎么死的？你可要据实告诉我，不要骗我。"

"我何必骗你呢？你去问谁都可以，没有一个人不晓得是谁杀死了你的父亲。可是，绝不是我杀死他的，这是千真万确的事实。"

"那么，你总知道杀我父亲的仇人吧！是谁？是谁杀死我父亲的？快把他的名字说出来！"

"是哈姆莱特。"

"是王子哈姆莱特？……啊？原来是那个乳臭未干的哈姆莱特小子！等着瞧吧！我非把他砍成千段万段，否则难平我心中之恨。"

雷盖兹突然拔出长剑，咬紧牙关，使劲把剑身弯成弓状，只听到"啪"的一声，剑折成两段。

雷盖兹将折成两段的长剑丢在地板上，然后返身像飞一般地奔了出去。奔出王宫之后，雷盖兹所要去的地方，当然是自己的家，因为他很担心妹妹奥菲利娅。

没有主人的家，铁门关得紧紧的，雷盖兹大声地喊，使劲地敲，竟没有一个人答应，也没有人来开门。

"会不会妹妹也不住在这儿了呢？我的家变成无人居住的空房子了吗？我今后将如何是好呢？住到哪里去呢？"

雷盖兹感到沮丧、困惑，抱着头沉思着，突然听到好像已无人居住的家里面，传来了一阵高昂的歌声。

雷盖兹反而觉得意外了，倾耳静听。

"啊！是奥菲利娅。这一定是妹妹的声音！奥菲利娅！奥菲利娅！你的哥哥雷盖兹刚从法国赶了回来！"他提高声音大喊起来。

歌声渐渐接近了。

"贝壳帽子、拐杖和草鞋，
进香装束的人呀！"

奥菲利娅所唱的歌词清晰可闻。

"哎！奥菲利娅！这里！是这里呀！我是雷盖兹。怎么还不快来开门呀？难道你还没有听见吗？

"可是他死啦！
死掉啦！
头长青草，
脚下加冷石。"

奥菲利娅的歌声还是继续下去。

"美丽的花朵撒在身上，
泪水却滴满棺上，
扛进墓穴里去啦！"

雷盖兹实在等得不耐烦了，于是转到矮墙处跳了进去。奥菲利娅庄严地站在走廊边，朝着花园高唱着歌曲。

雷盖兹一步步走近奥菲利娅的身边，可是，她好像一点儿也没有感觉到的样子。

"奥菲利娅！"他站在奥菲利娅的眼前喊她的名字。

奥菲利娅的歌声停止了，她直瞪着雷盖兹的脸孔。雷盖兹看到妹妹空虚无神的眼光，就直觉地感到："她疯了！"

雷盖兹这时才明白过来，他的身心像被撕裂开般的痛苦、悲伤，抱着妹妹的双肩摇晃着。

"奥菲利娅！奥菲利娅！你为什么要发疯？你认不出我是谁了吗？哎！你怎么会变成这个样子呢？如果早知道会这样的话，我绝不会去法国的。

"奥菲利娅！你清醒清醒吧！只要一次，再叫我一声哥哥！"

可是，奥菲利娅却像洋娃娃一般，毫无一点儿反应。

"哈姆莱特殿下！哈姆莱特殿下！您是哈姆莱特殿下吧？只有我一个人相信您的高洁。可怜的哈姆莱特殿下！可怜的爸爸！"

"我是你的哥哥呀！不是哈姆莱特。哈姆莱特不是你的仇人吗？他是杀死爸爸的仇人呀！你连这个也不懂了吗？一定是突如其来的悲哀，对你这柔弱的少女刺激太深了，所以使你悲痛得发疯了，是吗？"

"放开我！你是谁，我不认识你，我也没见过你。滚开！快滚开！"

奥菲利娅挣开了她哥哥的手，像是追求什么东西似的，边唱边慢慢地走向长廊的另一头去了。

雷盖兹将头靠在柱子上哭泣起来，流出英雄之泪。

听着妹妹的歌声，雷盖兹的身体好像被剁成万段般的痛苦。

"哎！我不行啦！可怜的妹妹呀？听到你的歌曲，我这颗充满复仇的心，却像泄了气的气球，觉得渐渐地瘪了。也许有人会说我没有男子气概吧！因为我的眼泪像泉水一般不停地涌了出来。"说完之后，又呜咽失声了。

连日来，雷盖兹的性格变得非常孤僻，他不愿意跟谁碰面，常常孤独地一个人躲在自己的房间里。

他们家本来有很多的佣仆，现在都走了，只剩下一个雷盖兹和奥菲利娅年幼时就伺候的老女佣。这个老女佣过去是专门管做饭的。

老女佣也终日以泪洗面。

"可怜的小姐！"

她不时在嘴里这样嘀咕着，洗衣服啦，剥马铃薯皮啦，一天到晚还忙着侍候奥菲利娅。

"老婆婆！我实在感激你。承蒙你照顾我的妹妹，如果有一天我完成了我的心愿，我会重赏你的……"雷盖兹垂着头对老女佣说。

"不要说这些话，少爷！是我自己愿意照顾小姐的，绝不是期望什么报酬。"

"老婆婆，你的心真好！我不会忘记你的。怎么今天早上还没见到奥菲利娅呢？你可知道她走到哪里去了吗？"

"这个……方才还听见她在唱歌……现在，我也不晓得她到底跑到什么地方去了。"

老女佣用手指挖耳朵，然后，好像想听听有没有从远处传来女主人的歌声，她静静地伫立倾听。

雷盖兹不知道什么缘故，突然从胸中涌起一阵不吉祥的预感。

"我实在不放心！过去她常到什么地方去？"

"唔！过去她经常到森林里采花。也许又跑到那边去了。"

雷盖兹返回自己的房间，因为长剑昨天在宫里折断了，所以另外取了一柄新剑挂在腰间，然后走出房间，匆匆忙忙朝着森林的路走去。

在晴朗的天空下，路旁的河堤上和围墙旁，都盛开着各种各样的花朵。小鸟在欢鸣，艳丽的蝴蝶在跳舞，蜜蜂在花丛里飞来飞去。

越靠近森林，房屋越少了。旷野显得非常辽阔，成群的羊在追逐着，嚼着青草的牛不时"哞哞"的叫着。

流往大海的溪流上架着一座白木桥，河流上鸭子成群结队悠闲地游来游去。这条河川和森林里的池沼是一脉相连的。

只见有两、三个小孩，蹲在河川边开心地玩着玩具小船。

雷盖兹走到他们身边停住了。

"乖孩子！你们有没有看见一个穿着漂亮衣裳的小姐经过这儿呀？"他问河边正在玩耍的小孩。

"唔！让我想一想。是不是一边唱着歌，一边走路的一个小姐？"

"对！"

"如果是她的话，好像在半小时以前，从这儿朝着森林那边走去了。"

现在知道了妹妹是顺着这条路走去的，雷盖兹就放心多了，脚步也显得有力气了，于是他也顺着这条路走向森林里去。

"喂，奥菲利娅呀！"

"你在哪里呀！"

他一边大声喊着，一边走入森林。

他的叫喊声，从森林的深处传来回响。

"喂——"这边这样叫，那边也这样叫。

"喂——"完全不改样的回答过来。

这时的奥菲利娅正在一边采着野花，一边唱着歌曲，向森林深处前进。

"我来到美丽的地方啦！这边是长走廊吗？石柱好多，一排一排多极了！这儿是休息室吗？啊！累死了。就在这儿休息一会儿再走吧！"

散落在地上的美丽花瓣，像一条织有花纹的地毯。就在这条花的地毯上奥菲利娅将衣裙掀起坐了下来。

从树梢间眺望过去，可以看见池沼，池沼的水面上，漂浮着许多的花瓣，那里也像是铺了一条织花纹地毯的大房间。

"让我编织个美丽的花圈吧！

摘下喜爱的花朵编织个花圈吧！

把这个花圈放在这儿吧！"

奥菲利娅唱着歌，手里拿着途中采来的花朵所编成的花圈，慢慢站起来朝池沼那边走去。

她想把花圈挂在岸边的树枝上，可是树枝折断了，转瞬间，她的身体也跟着断下来的树枝，掉进池沼里面去。

过了一会儿，一度沉到池底的奥菲利娅的身体浮出了水面。浮在满是花瓣的池沼中间。她的面部朝上，身体轻飘飘地在水面上浮游着。

"奥菲利娅！奥菲利娅妹妹呀！"

雷盖兹嘴里不断地叫喊着妹妹的名字，也跑到池沼的岸边来了。当他看到漂浮在水面，阖着眼睛像睡觉一般，现出安祥神色的妹妹时，不觉为其神圣的美丽愣住了。

妹妹也死了。他觉得妹妹的死，不如说是被神召唤了去，已经得到真正的幸福，反而更为适当些。

雷盖兹跪在岸边，双手掩着脸孔。

"妹妹！你怎么可以死呢？你竟连哥哥也不认得，就这么一个人悄悄地去了。"他边说边放声痛哭起来，悲伤得不顾男子汉的体面而号啕大哭。

奥菲利娅的身体随着涟漪微微浮动着。披散的金发也随着水波左右摇摆，上面还缠着许多花瓣，她的胸脯上放着她亲手编成的花圈，她的嘴唇微张着，像是要说话一般，也好像要唱歌似的。

过了一会儿，雷盖兹从杨柳树下拖出放在树荫里的小船，缓缓地放进池沼，然后开始划行。

小船靠近奥菲利娅了。

雷盖兹用剑鞘将奥菲利娅的身体勾到小船旁边来，然后将她湿漉漉的身体拖到船上，再把她的头部放在自己的膝盖上。

她的身体已经冰凉，没有使她苏醒的办法和希望了。

雷盖兹从小船里抱起她的尸体，放到池沼边"织"有花纹的"地毯"上面。

"奥菲利娅！还不醒来？去教会祈祷的时间到了，会误了时间的呀！"

雷盖兹觉得，如果这样喊她的话，也许她就会睁开眼睛来吧！可是，这是不可能的。因为她已经永眠了，永远不会再醒过来了。雷盖兹抱着双膝，坐在妹妹的身边注视着她的脸孔。

"非把哈姆莱特杀死不可！爸爸的仇人！妹妹的仇人！"

雷盖兹对于哈姆莱特的仇恨，像火一般在胸中燃烧着。

世界文学名著宝库

11 毒剑和毒汁

哈姆莱特王子，由俘虏一变而成为福京普拉斯海盗船上的贵客。他被领到一所西班牙海岸的岩窟门，这是海盗的藏身处。

"王子殿下！这儿是我的临时住所，您到了这儿千万不要客气或拘谨。"

福京普拉斯一边这样说，一边让王子坐到最上座的一张漂亮的椅子上，然后向手下们说：

"你们要好好地款待王子殿下，把最珍贵、最好吃的菜肴和醇酒拿来敬这位贵宾。"他这样下达命令。

王子和福京普拉斯两人已经成为莫逆之交，于是互相举杯痛饮，互相倾谈，连何时日落西山、何时夜幕低垂都忘记了。在谈话期间，福京普拉斯为王子的渊博学识所慑服。

福京普拉斯想：学问我是远不及王子的，可是这位白面书生，对于武艺大概不会有什么特殊之处吧？于是就转变话题，谈起有关枪术、剑技、弓术、马术。可是，竟出他意料之外，对于这些武艺王子也对答如流，而且还指出哪套剑技的弱点在哪里，在马上拉弓应该采取怎样的姿势才能正确射准"矢的"等深奥的秘诀来。因此，他知道王子不但学识过人，并且还精通百般武艺。

不过，福京普拉斯认为，武艺这一道不是单靠口舌就能够确定谁高谁低，非实际比一下是靠不住的，因此就说：

"那么，明天，我想和部下到海岸那边领教王子的高艺。意下如何？"

王子当然不会反对的，于是就这么决定了之后，大家各自休息去了。

福京普拉斯的部下中，有一个叫拉蒙度的武士，绰号叫"青胡子"，曾经游历过欧洲各地，又到过东方的阿拉伯王城，与东方出名的武艺高强者比过武，败在他手下的高手多达三十多人，可以说是一位百战百胜、声名赫赫的勇士。

"天亮了。王子殿下，请起床吧！我想领教王子的秘技呢！"

王子被拉蒙度叫醒，揉着尚未睡醒的眼皮。他下了床洗过脸以后，就和"青胡子"一同走出岩窟来到海岸，海岸边早已有三、四十位壮健的武士围着福京普拉斯在等候王子的来临。

王子深深地吸着早晨海边的新鲜空气。"哎呀！真舒服！"他跟着又伸了一个懒腰。

"昨夜睡得还好吗？"福京普拉斯满脸笑容地迎上来。

"昨天晚上睡得舒服极了，一直沉睡到天亮呢！"

"可不可以请王子殿下，把昨天晚上所谈的剑术实地赐教几手？"

"好吧！早餐前运动运动也不坏，吃起来一定会觉得更有味。请吧！无论哪一种都可以。"

王子随即取过一把剑，为了预防刺伤对方的身体，剑尖上套上个圆球，表示这是练习用的剑，然后摆开姿势等候着。

走到王子面前的正是那位拉蒙度勇士。他也取过一柄练习用的剑，站在王子对面摆出了架势。

"噢，好厉害的家伙！我可不能大意轻敌啊！"

王子一眼就看出对方的实力，所以不敢怠慢，也聚精会神静观对方的剑位变化，而把自己的剑改变为下段。

双方都以炯炯发光的眼睛对视着不动，静听着对方的呼吸，等待乘隙出击的机会。最后，还是拉蒙度故意露出破绽来引诱王子出手。

"嗄！"

王子发出了裂帛声，身体宛如飞鸟一般猛地一剑攻了过去，拉蒙度本来就是故露破绽，认为王子这次是上当定了，便立即让过一剑反手击出，快如闪电。

"唉！"

"嗄！"

剑与剑撞击，发出"铿铿"之声，寒光闪闪，两人的呼吸都急促了。骤看上去，好像王子快被打败了，因为他被迫向沙滩上退后了两、三步。可是，他突然一纵身，就横跃出足足一丈有余，拉蒙度也同时向后猛退，此时两人的距离有一丈以上。

"稍等一下！你的剑术深奥妙绝，我碰到像你如此的高手还是第一次哩！"王子说着，把剑抛在沙滩上了。

"你一定是位出名的大剑士。请问尊姓大名？"

一听王子的问话，拉蒙度也把剑丢在沙滩上，边擦着汗边回答：

"的确少见！王子的剑技高深莫测。敬佩敬佩！我自忖不及王子多多！我这个青胡子拉蒙度，今天可栽倒在您的手下了。"

"什么？青胡子拉蒙度？青胡子拉蒙度原来就是阁下？怪不得这样厉害。福京普拉斯殿下，拉蒙度就是您的部下吗？"

"是的。哈姆莱特殿下，今天我可大开眼界了，看见您神秘奥妙的剑技，真使我敬佩得五体投地。"

其他的武士们也都赞不绝口。

拉蒙度也频频点头称颂。

"我看就是武士很多的巴黎，能够和王子打个平手的剑士，恐怕也没有几人。我想起了一个好对手。今年春天当我在巴黎旅行的时候，曾经和一位叫做雷盖兹的年轻剑士比过武，那位剑士或许是王子的好敌手呢！"

"什么？雷盖兹？"王子露出吃惊的样子反问。

"是的。他的确自称叫雷盖兹。"

"那么，是不是一个鼻梁高高，脸色白皙，右颊下面有一个痣，头发弯曲近灰色，眼睛呈栗色的一个男人呢？"

"正是您所说的那个人。难道您也认识他吗？"

"他不是别人，正是我叔父——现在丹麦国王麾下的大臣波洛涅斯的独生子雷盖兹啊！"

福京普拉斯从旁插嘴道：

"那么，不就是那个被王子手刃而亡的恶大臣的儿子吗？"

"一点也不错，就是他。"

"那么，他一定认为您是他杀父的仇人了。这倒不可不当心了。"

"他一点儿都不像他的父亲，倒是一个心地善良而正直的青年，我实在不忍心伤害他。"王子一想到这点，就觉得心神黯淡。同时，也联想起雷盖兹的妹妹奥菲利娅悲哀欲绝的姿态。

不过，王子一方面又极想领教一下雷盖兹的剑技究竟好到如何程度。年轻人大都好胜心很强，王子内心勃发起一种争高低为快的竞争心。

明天出发吧！后天绝对要离开这里。——哈姆莱特虽然好几次做出这样的决定，可是福京普拉斯却不舍得与他分手，每次都被挽留下来。不知不觉间，王子竟在岩窟内度过将近两个星期了。最后，王子终于下了决心，决定明天就要出发。这一次，谁也无法留得住他了。当天早上，王子带了两名福京普拉斯的部下，和欢送的一行人握别以后，便乘上小船向丹麦出发。

在接近乡土时，王子的内心涌起了各种思潮，可以说是心乱如麻。

·105·

这在别人来说，回到故乡应该是值得高兴的，可是对于王子，就大大的不同了。因为故乡成了敌人的盘踞地，在那里住着的敌人认为王子是眼中钉，想加害王子，而王子又必须和他们拼个你死我活。

那里住着可爱的奥菲利娅，也住着王子的忠臣霍拉旭和他的同伴，他们正在翘首盼望着王子返国。想到这里，王子也弄不清楚了，故乡到底是值得怀念的地方，还是令人害怕的地方？

克劳狄斯王还是照样过着荒唐的生活，因为昨天晚上大摆酒宴，睡得很迟，当他揉着惺忪的眼睛起来时，已经晌午了。

有一个家臣从室外走了进来。

"有什么事吗？"

"是！有一封信。"

"信？是谁的信？"

"是哈姆莱特王子的来信。"

"什么？哈姆莱特给我的信？"

国王好像不大相信似的紧皱起眉头。

　　哈姆莱特王子不是早就一命归阴了吗？不过，送王子去英国的罗崊和凯尔丹两人，自从出发以来，就一直没有消息，对于这个，国王内心虽然觉得焦急不安，但是仍然认为王子一定早就不在人间了。

　　国王也曾派人向其他从英国来丹麦的船员们探听，看看有没有听到有关哈姆莱特王子和两个家臣在英国的消息。可是，结果却使国王非常失望，回来报告的人总是说，有关船员们的事毫无所闻。当国王正在彷徨不安的时候，突然来了一封哈姆莱特王子的信，使他觉得像收到了亡灵的来信一般惶恐失措。

　　"真的吗？把信交给我看。"

　　国王接过信，翻来覆去地看，发信人的名字确实是哈姆莱特王子。

　　"这封信是谁送来的？"

　　"听说是一个水手装束的人送来的，我没有碰见他。"

　　国王慌忙撕开信封来看——

　　　国王，我身无余物，是赤裸裸登陆的。我想明天就可以晋谒您了，内心感到非常欣慰。我有许许多多旅途上的事情要禀告您，这些事情没有一件会不使您惊心动魄的，请您等待着倾听我的报告吧！希望您怀着喜悦的心情等待我！

　　　　　　　　　　　　　　侄儿哈姆莱特　敬上

国王读完了信之后，斜着头凝思了一会儿，问家臣：

"究竟是怎么一回事？其他的随员是不是也一起回国了呢？"

"这个……我没有听说。"

"我不能相信这是真实的事,这会不会是敌国的奸计呢?把信再给我详细看一次。"

国王又把信里的字倒看、横瞧了好大一会儿。

"这信确实是哈姆莱特亲笔写的,绝对不会错。因为他的笔迹和别人有些不同,别人想学也学不来的……来人!"

现在,国王也只好认定哈姆莱特又一次逃过了他所设的圈套而平安返国了。这样一想,哪里还能够安闲自在呢?于是,他大声呼唤家臣们。

"你们和他,"国王指着站在一旁送信来的那个家臣继续说,"立刻到王子的船上去,查明王子回国是真的还是假的?是真的话,看看是王子一个人,还是以前跟王子同去的人也一起回来了?罗崝和凯尔丹两人是否也回来了呢?这些问题火速查明回报!快!快!"国王急急命令着,三个家臣匆忙飞奔前去。

"快去叫雷盖兹来!喂!没有人在吗?"国王又大声喊叫。

又有别的家臣应声而出,领命传雷盖兹去了。

自从知道了哈姆莱特回国的消息后,国王的脑海里立即起了大风暴。

哈姆莱特竟拼着命地跑回来,说不定是英王救了他。

如果我的猜测不错,那么,哈姆莱特一定已经知道我想谋害他的事了。

这一次回国,不用说,是为了想要我的脑袋而来的,危险!太危险了!如果不预先防备妥当,贸然就接见他的话,真是危险极了,说不定会遭到刺杀哩!俗语不是说"以毒制毒"吗?事已至此,只有煽动那个老实正直的雷盖兹来对抗哈姆莱特了,使他们互相火拼,来一个两败俱伤之后,再设法除掉哈姆莱特。——国王在慌张中做了这样的决定。

雷盖兹跟着去传他的家臣来到国王面前。

"噢，雷盖兹啊！真把我等急了。来！靠近来一些！要使我们的谈话彼此听得清楚，而不叫任何人听得到的程度才行。过来！再靠过来一点儿！"

"遵命！国王究竟有什么重大的事吩咐？"雷盖兹应命靠到国王的身旁请示。

"不要吃惊。听我说，雷盖兹，王子哈姆莱特回国了。"

"王子吗？这是真的？"

"你看看这封信就知道了。"

国王将王子的来信递给雷盖兹。雷盖兹一看见王子的信，脸色立即变得通红。

"他回来了。那真是求之不得的事！"

"雷盖兹，关于王子的事，你一定要答应按着我的计划来行事，你知道吗？"

国王将雷盖兹的双手紧紧地握住。

"好的。只要国王不说出要我和王子和解的话来，其他的决定，完全听从您的指挥。"

"我怎么会说出叫你和哈姆莱特和解的话来呢？这种不通人情的话，我是决不会说的。放心干掉他吧！他是你父亲和你妹妹的仇人。"

"请您说得具体一点儿！"雷盖兹有点儿着急了。

"不要急！镇静下来！镇静是取胜的秘诀。"

"不久，哈姆莱特就会回到城里来。到那时，我先告诉他你已经回国的消息，然后叫预先买通好的家臣们，在哈姆莱特面前夸赞你的剑术是如何如何的高强出众，不仅丹麦国内没有人能敌得过你，就是全欧洲也不见得有人敢向你挑战。这样一来，从小好胜的哈姆莱特一定不服气，而提出要和你比剑的要求。

"只要能比剑，一向粗心大意的哈姆莱特，绝不会细心检查剑是否包扎得安全。

"你就把剑尖上包着球的剑交给哈姆莱特，而自己要拿剑尖上不包球的剑来用。最好能在剑尖上涂上一层毒药。比武的时候对方受伤了，大家会认为他时运不好，绝不会怪你故意杀害了他。我的妙计，你认为如何？"

"钦佩之至！那么，就这样办吧！一切有烦国王安排了。毒药倒有现成的，只要把剑尖泡上一晚就足够了。这样处理过的剑，毒性非常剧烈，如果肌肤稍微被剑尖挑破一点儿，三十分钟以内，保证一命呜呼，无药可救。"

"好极了！你就涂上那种药吧……再让我想一想，这个妙计虽好，可是万一不能刺中他，不是就枉然了吗？这还不能说是万全之策。无论如何，这次一定非把他除掉不可！

"有了！有了！我又想到一个好主意了。比武的时候，你要尽量使出浑身的解数，猛烈攻打。这样一来，他必定会口渴难熬的。就在中途让他休息一会儿吧！他一定会想喝一些水来解渴，我预先准备好放了毒的饮料在桌子上，只要他喝下一口，那么就算不被你的毒剑刺中，也能达到同样的目的。"

"承蒙国王的关怀筹划！衷心感激之至！那么，我就在家里等候佳音了。"雷盖兹行完礼转身就想退去。

国王用那副收买人心的笑脸慌忙叫住他。

"噢！雷盖兹，稍等一下！"

"还有事情吩咐我吗？"

"听说你的妹妹遭到意外，实在不幸！已经下葬了吗？"

"还没有。入殓以后，把灵柩停放在家里了。"

"还是早日下葬好些。我和家臣们到时候会去送葬的。她实在死得冤枉、可怜，你应该厚葬她才是！"

"谢谢您！慈善的国王！我直到今天才发觉国王是一位慈悲善良的好人。我真该死，希望国王原谅我的无知，宽恕我不识好歹之罪。"

"唔！不必介意。我很知道你的个性，所以不会责怪你的，尽管放心好了。还有，你父亲的尸体，等到这次的妙计圆满告成了以后，我一定要为他举行国葬，将他殉国的功德昭告全国国民。"

雷盖兹听信了国王的甜言蜜语，感激得五体投地，匍匐到国王的足下，竟哭泣了。

世界文学名著宝库

12 王子归国

当霍拉旭来到城门口时，正好碰到奉国王命令骑着骏马去迎接王子的使者。那个使者刚巧是霍拉旭的朋友，因此霍拉旭向他打招呼。

"哟！老朋友，慌慌忙忙要去哪里呀！"

"我据实告诉您吧！哈姆莱特王子已经回来了，并且也有信给国王。我就是奉国王的命令，骑着快马去迎接王子殿下回城的。"

"哦？这我倒一点儿也不晓得。那么，王子殿下现在住在哪里呢？"霍拉旭觉得非常意外，便向使者这样问道。

"在西海岸的埃斯俾埃尔。"

霍拉旭心想："现在让王子殿下回到城里来是很不明智的。国王可以说整天都在动着坏脑筋，想方设法陷害王子殿下。城里所有的家臣，到了紧要关头时，能够效忠王子的可以说是寥寥无几，那不是像背着油桶往火里跳一样的危险吗？"

霍拉旭把使者拖下马来，他抓住使者的脖子，自己翻身上了马，便把使者矮小的身体挟在腋下，向自己的住宅急奔了去。

"喂，来人哪！"

霍拉旭大声一喊，家里的男仆飞奔而至。霍拉旭把使者抓到院子里说：

"我有事要出门几天。你把这个人关在地窖里，不要让他逃跑，好好地看守着！"

因为霍拉旭心急如焚，所以话一说完，就掉转马头朝练兵场急驰了去。

中尉和少尉看到霍拉旭，立刻走了过来。

"两位请立刻准备马匹！"

"好的！"

两人同时回答，各人跨上自己的马匹，紧跟在霍拉旭的后面而去。

"发生了什么事吗？霍拉旭阁下！"

"要带我们到哪里去呀？"

"哈姆莱特王子殿下回来了。"

"是哈姆莱特王子殿下？"

"殿下？现在在哪里？"

原来这两位武官对这消息也毫无所闻。

"现在在埃斯俾埃尔。幸亏我在路上截住了被授命去迎接王子的使者。我把他关在家里的地窖里，等我回去以后再放他出来。现在，我想带你们去拜谒王子殿下。"

"您太好了，霍拉旭阁下！"

"感谢您的好意，霍拉旭阁下"

"我认为目前把王子迎接回艾尔西诺城来，是一件非常不理智而且危险万分的事情。两位的高见如何？"

"一点儿也不错。岂止危险，简直是送死！"

"我们必须劝阻王子殿下,不要到这危险地带来冒险才好!"

三个人的马并排着来到城门近处,中尉突然勒紧了马缰停住了。

"请大家暂时停一停!我有一件事要和两位商量。"

听中尉一说,于是霍拉旭和少尉也停住马了。

"要和我们商量什么事呀?"霍拉旭问中尉。

"不是别的。霍拉旭阁下,恶大臣波洛涅斯的儿子雷盖兹回来已有一段时间了,您知道吗?"

"这个,我倒也听人说过了。"

"据说,那个雷盖兹今天又到王城里和国王密谈了好久,不用说,所谈的内容不外是王子殿下的事。霍拉旭阁下,您以为如何?"

·113·

"对!我也曾听人说过,那个雷盖兹现在竟连忠孝的道理也分不清楚,一口认定王子殿下是杀死他父亲波洛涅斯的仇人,正在虎视眈眈地等待王子殿下回国,打算报复哩……"

"我想说的也就是这件事。我们总不能空着手去呀!怪不好意思的!所以,我想拿雷盖兹的脑袋作为晋谒王子殿下的礼物,两位认为怎么样?"

中尉说得真是轻松,好像砍下他的头就像挖地瓜那么简单。

"如果能把仇视王子殿下的雷盖兹的首级提去作为礼物,那是再好也没有了。可是不容易办到。据说,雷盖兹的剑术非常高超,尤其是细剑的技术。虽然他年纪轻,可是剑术已经达到天下无敌的境地了。"

霍拉旭不敢贸然下手,很慎重地斜着头沉思。

"不,不!这些都是夸大其词的虚伪宣传。人们所说的话大都靠不住,我猜他的剑术只不过是空有其名,实际上却是一个草包而已，没有什么了不起的。如果他真有惊人的伎俩，为什么不将实力向大家夸耀夸耀，甚至主张开一次比剑大会来一显身手呀？"

听了中尉这一席话，霍拉旭也认为不无道理。

"好吧！那么，你打算怎样去取他的脑袋呢？"

"我看，越谨慎越好！这样吧！我把雷盖兹哄出门外来，我们由三方面冲过去，合三人之力砍下他的脑袋不致有问题吧？"

"这个办法我总觉得不太光明。"霍拉旭说。

"形势所迫，也顾不了这些细节了。为王子殿下的安全着想，不能过于古板呀！"

中尉终于说服了他们两人。三个人就骑马来到波洛涅斯的官邸前。

波洛涅斯的官邸前真是行人绝迹，只见一片寂静。雷盖兹不是未卜先知的神仙，哪里会知道大祸将要临头。当时他正在书房里看书，忽然听见外面有人在叫他的名字。

"雷盖兹先生！"

"雷盖兹先生！国王召见你，要你马上和我们同去，有火急的重大事情要和你商量！"

雷盖兹叫老妈子打开门一看，只见有三个骑马的武士在门外等着，因为天已经黑了，脸孔根本无法看清楚。雷盖兹听说国王有重大事情要召见他，立刻走到门外大声发问：

"我即刻换衣进城。到底是什么重大事情？有没有听说呢？"

中尉一看到雷盖兹走到门外，双脚用力一挟马肚子，飞奔过去，一边大声喊道：

"重大事情！就是要你的臭脑袋！雷盖兹，祷告吧！"中尉拔出长剑朝雷盖兹的头上猛砍了下去。

"啊！好危险。你想干吗？"

真是危险万分，简直连后退的时间也来不及。

"献上首级来！"

这时，少尉也从马上朝雷盖兹的胸部猛刺一剑。

同时，霍拉旭的长剑也朝着雷盖兹的头部劈下。可是，意外的事发生了，雷盖兹的身体像一阵风一般躲过了三把利剑的突击，竟安然退出了六尺远的地方，他的右手早已提着一把细形利剑，发出闪闪寒光，像蛇舌一般，一伸一缩地在眈视着猎取物。

"好小子，竟被你躲开了！"

中尉焦躁地做第二次猛击。就在这同时，中尉的座骑前腿朝天竖起，中尉的身体就像木头般滚落在地上，立刻从头部涌出一股鲜血来。

"退却！"

霍拉旭迅速掉转马头，和少尉两人飞也似的往后边逃跑。

后面没有人追赶，他们跑进一座森林，才停住马下来，用手捧起小溪的冷水来喝，然后又捧给浑身冒着热气的马喝。

"实在太可惜了！中尉竟死在他剑下……"

另一种忧愁的种子却开始生长在霍拉旭的心坎上。那就是剑技超群的雷盖兹正在虎视眈眈地等待王子殿下，欲报杀父之仇，王子又增加了一个劲敌。因此，霍拉旭决心劝王子不要答应国王的召见而贸然冒险回到艾尔西诺城。

霍拉旭和少尉两人，夜以继日地好不容易才赶到了埃斯俾埃尔。

王子哈姆莱特正在埃斯俾埃尔的小城里等待着国王的回信。

"国王的使者刚刚到达！"

家臣还没有报告完毕，就有两个武士大步踏了进来。王子一瞧见他们，不觉从椅子上站了起来。

"噢！使我难忘的人们来了。霍拉旭！少尉！"

三个人紧紧地握着手，兴奋得连话都说不出来。

"看到王子殿下壮健如昔的尊容，真叫我高兴得不知道从何说起才好。"霍拉旭竟高兴得流出眼泪来。

"国王的回信带来了吗？国王究竟说了些什么话？"

"王子殿下，国王正伸长着脖子在等待着您呢！"

"哦！那好极了！我们就今天，不，现在立即动身吧！"王子转向两旁，下了立即出发的命令。

"王子殿下，我要请问您一句话，您打算带多少军队进城去呢？"

"我除了这两个挪威籍的部下以外，再也没有别人了。送我来到这儿的，就是他们两个人，我正想打发他们携带着我致送福京普拉斯殿下的礼物回去哩！所以，我打算只身一人跟你们两个一起回城里去就行了。"

"王子殿下，这样可使不得啊！"

"为什么不行呢？"

"艾尔西诺城和大陷阱没有什么差别，何况还有一个强敌正在那里等待着王子殿下回去，想替他的父亲和妹妹报仇呢！"

"我知道了。那个人是不是雷盖兹？他是什么时候从法国回来的？如果他认为我是他父亲的仇人，那倒不怎么奇怪。可是，我又怎么会是他妹妹的仇人呢？"

"这是因为他的妹妹奥菲利娅发疯之后，掉到水里淹死了啊！他认为这是王子殿下杀了他的父亲波洛涅斯，致使奥菲利娅哀伤过度所引起的。所以，他认定您也是他妹妹的仇人。"

"啊！奥菲利娅死了。实在太可惜了！她不但人生得漂亮、清秀，而且她的心灵更是高洁得像神一般。像她这样好的人，怎么遭到如此悲惨的命运呢？哎！真是红颜薄命！神也太残酷了。"

王子哀伤得掉下泪来。

然后，霍拉旭又把他如何截住国王的使者，如何把他关在地窖里，中尉如何提议袭击雷盖兹，准备把他的首级取来献给王子，结果反被雷盖兹所杀的经过，一五一十地报告给王子。王子听到中尉竟为自己而死，悲叹不已。

"我非和雷盖兹一较长短不可！我哈姆莱特身上有父王的亡灵在暗助着，还怕进艾尔西诺城不成吗？"

霍拉旭和少尉无论怎么劝说，都没有用处，一点儿也不能打消王子要孤身直闯艾尔西诺城的念头。

最后，王子还是决定请大家在埃斯俾埃尔小城歇宿一夜互叙离情，明天清晨再往艾尔西诺城去。

霍拉旭对着福京普拉斯的两个部下说：

"我们丹麦国可能要发生大乱了，两位回去以后，请转告福京普拉斯殿下，请他立即集结兵力前来援救我们。"他暗地里向两个挪威士兵恳托。

那两个挪威士兵听了之后说：

"知道了。我们立即把这件事报告我们挪威的王子福京普拉斯殿下，请他邀约四方的旧部，赶来贵国协助哈姆莱特王子。"

士兵答应一定依照霍拉旭的希望转达。于是，霍拉旭也觉得放心了。因为他也曾经听人说过，福京普拉斯的麾下，有个鼎鼎大名的剑士拉蒙度。他认为要对抗如雷盖兹这样剑技超群的武士，只有拉蒙度这一类的豪杰才有资格，所以他更恳托那两个护送王子的挪威士兵，一定要请拉蒙度同来。

13 墓地

　　王子的意思是要堂堂正正从城门进去，可是被霍拉旭劝阻作罢了，后来才决定乘黑夜偷偷爬进城去。

　　少尉辞别了王子和霍拉旭，回到自己队里去了。

　　王子怕被人发现，用黑布包着头，随霍拉旭到了他的住宅。

　　"地窖里那个人怎么样了？"霍拉旭问仆人。

　　"他很好。"仆人向主人禀告。

　　地窖里面散放着许多空酒瓶，那个国王的使者喝醉了就大声唱起歌来。

　　"王子殿下，要不要参观一下地窖？"

　　"一定很好看的，你带我去看看吧！"

　　那个使者正醉倒在地窖里的一个角落，大睡其觉哩！

　　霍拉旭用剑鞘戳了他几下以后，他才慢慢睁开朦胧的醉眼，他以诧异的神色呆视着霍拉旭的脸孔有好大一会儿，才算清醒过来。

　　"霍拉旭先生！您回来了。"

"据说您过得很舒服，是吗？"

"我得谢谢您！真可以说招待得很周到！酒醉饭饱了。怎么样，现在可以放我回家了吧？"

"何必这样急呢？再逗留几天吧！酒还多得很哩！"

王子也看得笑出声来。

"霍拉旭！"王子一本正经地喊了一声。

"王子殿下，有什么吩咐吗？"

"看到这个黑暗的地窖，使我联想起一件事来，明天我们到墓地去看一看永眠在地下的人们吧！"

"要去和白骨、尸体会面吗？"霍拉旭的脸色显出很不高兴的样子。

"何必讨厌那里呢？霍拉旭，我们还不是总有一天非去不可的呀！"

"请您不要再说这种不吉祥的话了。"

王子和霍拉旭说着爬出了地窖。

城墙的后面有一块艾尔西诺城的公共墓地。

王子和霍拉旭两人，并肩在墓地里穿来穿去地走着。

忽然传来一阵好像用铁镐在挖土的声音。

王子和霍拉旭循声找去，只见有两个掘坟的人，正在卖力地挖掘坟穴。

"唔，相当深哩！要埋在这个坟穴的是什么样的男人哪？"

王子一边伸出脑袋往坟穴里望了一下，一边向挖掘坟穴的人问话。

"男人？才不是男人哩！"

"那么，是女人喽？"

"嗯！一点儿也不错。……哎！累死了。挖好啦！不论他什么时候抬棺材来埋都没问题了。休息一会儿吧！伙伴！"

两个掘坟穴的人放下镐头休息了。

不久之后，从背后传来了嘈杂的人声，王子转过头去一望，连忙推了一下霍拉旭。

"从那边过来的是国王啊！我们赶快躲起来看个究竟吧！"

走在最前面的是乐队，后面是士兵，再后面是穿着耀眼金黄色长袍的僧侣（西洋最高地位的僧侣），僧侣的后面是盖着白布的灵枢，跟随在后面的就是国王、家臣、卫兵等人，一队人缓缓地朝着这边走来。

"霍拉旭！你瞧！靠在国王身边的青年人可不是雷盖兹吗？哦，他已经长成一个英俊的青年了！"

那一队人围着掘好的坟穴站住了。

僧侣举起手，一边念经一边示意将棺材放在坟穴的旁边。

"这位死者的葬礼，已经依照教会的规定仪式举行过了。如果不是国王的特别优待，将不准举行任何仪式而被放进坟穴，还要用石头和瓦片填埋呢！因为她死得莫名其妙，是不能享受教会照顾的。"

不等僧侣说完，雷盖兹便气势汹汹地走到僧侣的跟前。他以气愤得要扑向僧侣的姿势喝道：

"什么？你是说我的妹妹死得莫名其妙，所以葬礼就这样简单结束了？"

"是的！正如你所说的。"

"可怜的妹妹！毫无同情心的狗僧侣！我妹妹听了你们不诚心的祷文，也不见得会高兴的。不论你们怎样阻挠，上帝一定会把我那心灵圣洁的好妹妹接到天堂去的，她大概早已进入天堂的花园，和一群天使一起唱着歌曲玩着哩！"

听了雷盖兹尖锐的说话声，哈姆莱特差一点儿就冲口叫出声来。

"那么，这个灵柩就是装着奥菲利娅的尸体喽？"王子喃喃自语着，伸出头来想看看棺材。

"将棺材放进坟穴里面去！"大家纷纷把花束抛在棺材上面。

"妹妹！"痛苦的叫喊声过后，随着是雷盖兹的哭泣声。

"盖土吧！"

随着国王的第二次命令，泥土开始从上面埋了下去。

"等一下！以后永远看不到我的妹妹了。让我再看她最后一眼，和她说一声永远再见吧！"

雷盖兹挣脱了僧侣们的阻止，猛然跳进坟穴里去。

王子再也忍耐不住了，也挣脱了霍拉旭的手，从墓石背后跳了出来，乘着大家都惊讶得手足无措的时候，也跟着雷盖兹往坟穴里跳。

雷盖兹启开棺盖，凝视着和生前一样浮着微笑的奥菲利娅的脸，不觉泪水滂沱直流。哈姆莱特也从雷盖兹的身旁伸着头去看。

"奥菲利娅！可怜的奥菲利娅！是我害死你的。是我哈姆莱特杀死了你啊！"

一听到哈姆莱特这个名字，雷盖兹如噩梦初醒，猛然抬起头来。

"哼！是你。哈姆莱特坏蛋！"

话出手到，雷盖兹扑了过去，双手扼住哈姆莱特的脖子使劲地掐。

"松手！快松手！雷盖兹，你的悲痛我是明白的。"

王子使出全身力气才挣脱了雷盖兹的双手，但已经累得气喘如牛了。

"你倒真有种，竟敢跟到这里来侮辱人！非但侮辱我，而且连我的妹妹也……"

在狭窄的坟穴里，雷盖兹正准备发动第二次袭击。国王看在眼里，于是大声向士兵们命令着："快把他们俩拉开！"

两三名士兵立刻先后跳进坟穴，分别把两个人抱住。

"请住手！"

"这是国王的命令。"

两人被士兵分开了，于是都爬到地面上来。

"哈姆莱特，你究竟什么时候回到城里来的？"国王内心觉得很奇怪，开口第一句就问这个。

雷盖兹虽然被分隔站在另一边，但是仍虎视眈眈地瞪着哈姆莱特，一手握着剑柄，打算一有机会就实行突击。国王回过头来瞧着雷盖兹，他的眼睛好像在这样说：

"雷盖兹！不可以鲁莽动手。你忘记了前几天我对你讲的话了吗？暂时再忍耐一下，等待有利时机的来临！"

雷盖兹像是会意了，无可奈何地垂下了头。

霍拉旭这时也从墓碑后面冲了出来，紧紧抓住王子的手臂不放。

王子和雷盖兹两人都怀着势不两立的心情，表面上强行压制感情的冲动，静寂得好像暴风雨过后一般。

不久，坟穴填满了黄土，墓碑也竖立起来了，等僧侣念完最后的祷文，葬礼的仪式也全部做完了。一队人又开始缓缓地向原路走回。

"哈姆莱特，现在就跟我回去吧！"

国王劝哈姆莱特同道回去，可是哈姆莱特却摇了摇头说：

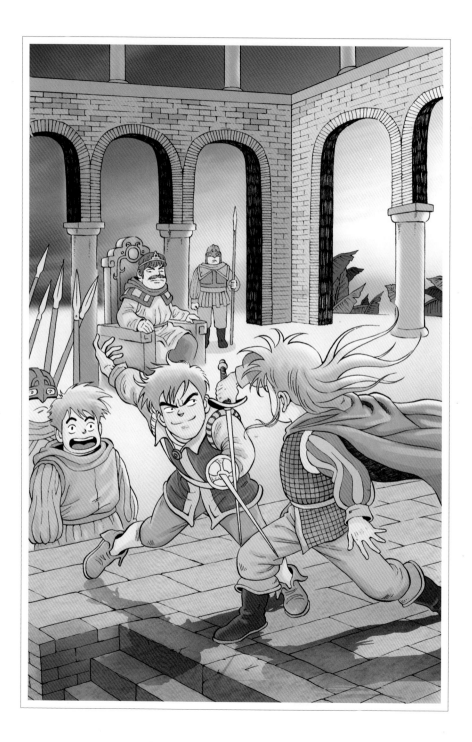

"我还有事情要办，不能跟你一同回去。等过一会儿，我事情办完了，自然就会回去的……"

"那么，要尽量提早回宫来才好！我等着你呀！"

外表温柔而内心险诈的国王，面露慈爱的微笑看了王子一眼之后，被一群家臣们蜂拥而去。雷盖兹觉得就这样轻易放过了哈姆莱特，心有不甘似的站着不动。

雷盖兹又要扑过去，却被其他的家臣发觉而阻止，终于也怏怏离去。

霍拉旭和王子两人对视着。

"奥菲利娅太可怜了。"

"她的确是个纯洁而神圣的少女……可是她的死，也可以说是为丹麦国而牺牲，是不得已的事。所以，您也不必过分哀伤。"霍拉旭深恐王子过分悲哀。

"霍拉旭！我觉得雷盖兹怪可怜的。我恨我的杀父仇人，而他却恨我，我们俩究竟有什么分别呢？可以说是完全一样的。因为我出身王族，所以可以随心所欲杀掉害死父王的仇人，可是一般臣民，即使看见杀父的仇人在眼前，也必须忍耐不得动手，这是公平的吗？我真想死在他的剑下！"

"王子殿下，您千万不可有这种想法！雷盖兹只是个微不足道的臣民，王子殿下却是我们全丹麦国民的希望，怎可相提并论呢？千万不要这样消极沮丧才好！"

"嗯！我知道。你放心好了，我决不会沮丧的。在我还没有站在国王面前，揭露他犯罪的证据，使他俯首认罪，再用这把宝剑戳穿他的心脏之前，我怎么可以示弱呢？"

王子向新筑成的奥菲利娅的坟墓行过了礼之后，就转身跟霍拉旭离开了墓地。

"啊！这里也有一座新坟。"

"是丧命在雷盖兹剑下的中尉的坟墓。"霍拉旭停下来，看了看刻在墓碑上的文字之后说。

"啊！中尉也变成这个样子了。是为了我！"

王子用手抚摸着冰冷的墓石，黯然流泪。

世界文学名著宝库

14 御前比剑

　　王子哈姆莱特终于回到了别离数月的艾尔西诺城里自己的家。

　　王子躺在长椅子上，阖着眼将要进入梦乡的时候，在朦胧的意识里忽然听到有人在"啪啪"敲门的声音。

　　"是谁？"

　　王子睁开了眼睛这样问。

　　"是臣下！奥兹利克想晋谒王子殿下。"

　　"什么？奥兹利克！不必客气，进来好了！"

　　一个名叫奥兹利克的家臣畏怯地走了进来。

　　"喔，原来是奥兹利克！有什么事吗？"

　　"我来传国王陛下的话。"

　　"是什么话啊？"

　　"国王陛下对于王子此次返国，觉得十分欣慰，于是想出了一件非常有趣的事情，并且还拿出许许多多贵重的物品作为奖品，赏给……"

"你的话说得太转弯抹角了。简单一点儿，直截了当地说好不好？奥兹利克！"

"是！是！请殿下宽恕！实在对不起！……前些日子归国的雷盖兹先生，的确是位毫无缺点的武士，非但仪姿英俊，而且剑技高超，是位无与伦比的好青年，加上在法国磨炼剑术有年……"

"知道了！知道了！你说的一点儿也不错。像雷盖兹这样堂堂的武士确实非常难得。说简单一点儿好吗？到底雷盖兹怎么啦？"

"是！如果论剑术的话，雷盖兹先生已经是天下无敌了。"奥兹利克说到"天下无敌"四个字的时候，还特别加重语气。

"懂啦！懂啦！那么天下无敌的雷盖兹，最得意的武器是什么呢？"

"讲剑的话，是细刃和短剑，据说他擅长使用这两种武器。"

"是细刃剑和匕首吗？"

"正如您所说。"

"国王陛下为了举行这场比赛，还特别悬赏了阿拉伯产名马六匹、法兰西制的细刃剑和匕首各六柄、黄金链子镶宝石的吊剑带一条，另外还有一套精致优美的马具等等。"

"我明白你的来意了。国王想要看看我和雷盖兹比剑是不是？"

"是，是的！您一点儿也没有猜错。国王陛下的意思是：王子殿下和雷盖兹先生的比赛定为十次赛，殿下只要能够胜雷盖兹先生三次，就算殿下胜利。这的确是陛下为同情殿下所设想的好办法……"

"照你这样说，岂不是雷盖兹纵然能赢我七次，也不能算胜利喽！那么，为什么要订出这种不公平的比赛规则呢？"

"这是因为雷盖兹先生，曾经在尚武之地法兰西正式磨炼了好几年剑技，他的手法高超……"

"换句话说，就是我的剑技根本不能跟他相提并论，是不是？"

"哪里？哪里？我怎敢说这种失敬的话。不过总而言之，殿下是金枝玉叶的身份，所学的剑术也就是所谓的贵族剑术，没有真正下过苦功夫，只是中看而不中用。不，不！臣说错了。罪该万死！还望殿下宽恕臣的失言！"

"闭嘴！你以为我和雷盖兹的剑术相差得这么远吗？"

"不！请殿下息怒！这是国王陛下说的，绝不是我自己说的，我的任务只是把国王陛下的旨意传给殿下而已。"

"你这样回报国王吧！要用七对三这种不公平的方法比赛的话，我哈姆莱特拒绝受命。你知道了吗？比赛应该五对五才合理，否则虽胜犹败。所谓比赛，谁都想取得胜利，万一事与愿违，败退下来，也不是件什么了不起的事情。古人不是说：'胜败乃兵家之常事'吗？何况这只不过是场比赛，输了也不见得就蒙受多大损失，最多被人家击中几次，当众出丑而已。"

"遵命！臣一定照殿下的意思回禀国王陛下。不过，王子殿下……雷盖兹可不是泛泛之辈，是确确实实天下无敌的高手。所以臣以为还是以七对三的方式比较安全，我甚至于以为八对二也不为过。"

"快住口！你如果再喋喋不休，当心我发脾气！"

"是！是！臣不敢再说了。那么就此告退！"

奥兹利克边说边向王子再三地鞠躬，然后退出门外走了。

一退到走廊上，奥兹利克却吐了一下舌头喃喃自语地说："大功告成了。我用激将法把王子气得七窍冒烟，再也不必担心他会不肯和雷盖兹比武了。国王的命令胜利完成了，我要立即回去复命，等着领赏吧。"

忽然，从走廊的石柱背后走出一个人，向他打招呼：

"你不是奥兹利克君吗？喜气洋洋的有什么肥差使呢？可不可以说给我听听？"

奥兹利克以为这儿没有人在，突然间被吓了一大跳。

"啊！原来是霍拉旭阁下。哪里有什么肥差使！事是有，不过是和您毫无关系的事。"

可是，霍拉旭却面浮微笑说：

"我亲耳听到你在自言自语，说着王子如何如何了。还想骗我不成！"

"既然这样，告诉你也无妨！王子陛下答应今天在国王御前比赛剑技，我们也一定能够大开眼界的。等一会儿，要鸣鼓集合哩！"

"是雷盖兹和王子殿下比剑吗？王子真的答应了吗？"

"不但答应，并且还高兴得很哩！因为奖品非常丰富。"

奥兹利克说完之后，匆匆忙忙离开霍拉旭而去。霍拉旭听了心急如焚，立即奔入王子的房间，一边拉住王子的胳膊用力摇晃，一边急忙问王子：

"王子殿下，刚才那个马屁精奥兹利克告诉我，你已经答应和雷盖兹比剑，这不会是真的吧？"

"霍拉旭，这是我亲口答应的，还是刚刚的事呢！"

"那怎么可以？这一定是奸计！是想借雷盖兹的手来杀害殿下的诡计！殿下您绝对不要答应！"

"可是我已经答应下来了。一言既出，驷马难追，怎么可以反悔呀！"

"这个没有问题。您装病好了，我就前去替您取消。"

"霍拉旭，连你也这么害怕雷盖兹吗？"

"我倒并不是怕雷盖兹。我所恐惧的，是怕您中了国王的诡计。"

"这是什么意思呢？你是不是怕我招架不住雷盖兹,而丧命在他的剑下啊？"

"不是。我相信这次比赛是有诈的。有可怕的阴谋！比方说：对方的剑尖涂上毒药，或者装有机关等等。"

王子拍了拍霍拉旭的肩膀，笑着说：

"霍拉旭，你尽管放心好了。我怎会看不透他们的手法呢？比赛的时候，请你站在我的身旁，看我哈姆莱特如何处置这些败类吧！"

·129·

被王子这么一说，霍拉旭也没有办法阻止了。因为王子心里比霍拉旭还要清楚，这次比赛决不是普通一般的比赛，危机重重。但好像看起来王子另有所谋，因此也不由得霍拉旭不同意。

大约一小时以后，国王派人来迎接王子。

城内广大的比武场上，早已布置好了一切比赛所需的东西。

上至大臣，下至士卒，今天都得到了国王的特别许可，来观看王子和雷盖兹的剑技比赛。广场内已经容纳不下来参观的人了，连门外面都拥满了人群，热闹异常。

观众见到王子带着霍拉旭走进比武场内,都热烈喝采表示敬意。

雷盖兹早已正襟危坐在国王的身旁。国王一看到王子，立即招手。

"到这里来！哈姆莱特，把你的右手伸出来。"

王子靠近国王身边，国王握着王子的手。

"雷盖兹你也把右手伸出来。"

国王使王子和雷盖兹互相握手。

"唉！雷盖兹，你一定在恨我。为了令父和令妹的事，这也难怪！关于这些事，我想约个时候好好对你解释一番。可是今天的比赛，我希望你不要怀着私人的仇恨而来。大家以一个武士的身份来一较高低，你以为对吗？雷盖兹！"

王子诚心诚意地对雷盖兹说。可是，雷盖兹却心存芥蒂，表面上仍然说道：

"知道了。王子殿下，私人的仇恨和比赛，我不会混淆不清的。"说得非常理直气壮。

"承你接受我的话，谢谢你！那么，我们就以兄弟一般的心情，来开始剑技比赛吧！拿比赛用的剑来！"

奥兹利克提着一柄剑跑近哈姆莱特身边，双手捧上。

"我也拜托你了。"

雷盖兹也向他索剑。于是，奥兹利克又提着一柄剑递给雷盖兹，雷盖兹接过剑来，耍了两下之后说：

"这柄剑太重了。"表示不适用。

"换一柄轻一些的剑给雷盖兹吧！"

国王这样吩咐，于是奥兹利克换了一柄较轻的剑去。雷盖兹又耍了几下，摇头表示还是不适用。这一次，奥兹利克干脆捧了四、五柄剑去，让雷盖兹自己挑选。

于是，雷盖兹就选了一把，那是早就混在里面的。这是一把剑尖没有套上木球，而且还浸过毒汁的细刃剑。于是他说：

"这柄还可以用。"

哈姆莱特也说：

"看来和我的这把差不多长。那么，我们就开始吧！"

两人分别站在比武场的左、右边。

观众屏息凝视着。

"等一等！这里有个大杯。哈姆莱特每胜一次，就赏他喝一大杯酒，并且命武士鸣炮庆祝。如果比赛结果，胜利属于哈姆莱特的话，我将放一颗大珍珠在这个大杯里赏给他。指定奥兹利克为审判官，还有霍拉旭，你也是。好！现在比赛开始，你们各显身手吧！"

王子举剑应战。

"嗄！"

雷盖兹内心对王子痛恨入骨，随着暴吼声，疾如飞鸟般地冲向王子，剑尖直取王子的胸膛，王子却不慌不忙拨开了剑，反手一划，却戳中雷盖兹的胸脯。因为剑尖套着木球，所以雷盖兹不致受伤。

·131·

霍拉旭看得很真切，于是就喊：

"王子殿下先胜一次！"

观众大声地叫喊。

雷盖兹对王子迅如闪电的手法吃了一惊。

"稍停一下！拿酒来！哈姆莱特，你的剑术真了不起！这颗珍珠现在就赏给你。"

国王将珍珠投进大酒杯里，同时暗放毒药在杯中。

"哈姆莱特休息一下，先喝下这杯酒润润喉咙！"

王子正想伸手接杯，可是雷盖兹却乘隙发动第二次猛攻。

如果说今天的比赛充满了浓厚的火药味，不如说是一场决斗更为恰当。

王子这次因为被雷盖兹乘虚偷袭，处于被动地位，形势非常不利，终于被迫退到比武场的一隅。正当危急万分的时候，只见王子的身体突然像一阵旋风，矫健如腾云的蛟龙直向上冲，同时，雷盖兹的眉间又被重重击中。

"哎呀！"雷盖兹惨叫了一声，被王子击倒在地上，如果不是剑尖套着木球的话，雷盖兹早已一命呜呼了。

"第二次，又是王子殿下胜利！"

霍拉旭兴奋得大声宣布。场内响起一阵如雷的欢呼声、拍手声，经久不息。

国王看到了意外的结果，茫然失神。

雷盖兹接连两次惨败，惊惶失措，眼睛发红，嘴唇不停地颤抖。

"国王陛下，下一次不会再输了！"

雷盖兹向国王提出保证，可是国王却说：

"我看很难说，恐怕还是你输！"

国王略微思索了一下说：

"哈姆莱特，先喝完这杯酒，第二杯还等着你哩！"

于是，王子就端起酒杯，毫不犹豫地喝了一口。

虽然只喝了一小口酒，但是，王子马上觉得有千万把利刃直刺喉咙、胸膛、肚子，痛苦立刻传至全身。

"第三次比赛开始！"

审判官奥兹利克喊。

王子强忍着万箭穿心的痛苦，紧握着剑想挣扎起来，可是雷盖兹的利刃早已刺中了王子的胳膊。王子使出浑身之力，又刺中雷盖兹的胸膛。

雷盖兹受了王子一击，身体站立不稳，摇晃了几下。王子又立刻在他的腕上加了一剑，雷盖兹就脱手把剑掉在地上了。

而这时，王子因为喝下毒酒，痛苦难熬，踉跄了几步，也把手上的剑掉在地上了。

雷盖兹接连三次被击中要害，早已经头昏脑胀了，竟将王子的剑误认为是自己的剑，就从地上拾了起来。

"我看，两个人的体力都已经不支了，比赛就此停止吧！"

国王知道王子已经喝下毒酒，非死不可，目的既达，自然再无兴趣看比剑了，于是大声喝止比赛。可是，王子和雷盖兹对他的话都听不入耳了。

王子拾起雷盖兹的毒剑，又刺中雷盖兹的臂膀。

王子拿起这把剑当做剑尖套着木球的剑来刺，可是却意外地发现，剑尖竟然深入肌肉里，鲜血直流。

"这……这是怎么一回事呀？啊！这把剑是雷盖兹的。怎么雷盖兹的剑尖没有套上木球呢？是谁干的好事？非查个水落石出不可。快把门都关起来！"王子大惊失色，发出命令。

只听雷盖兹躺在地上说：

"谋反的人在这里！是我雷盖兹！是我雷盖兹干的呀！王子殿下，您的剑尖没有套上木球，那是因为您把我的剑捡起来用的缘故啊！我的剑不但没有套上木球，并且剑尖还浸过毒药。您的性命至多也不会超过半小时。我……我也一样。"

"啊！我知道了。雷盖兹，这个诡计不会是你自己想出来的。教唆你这样做的人，一定是他！"

王子提着毒剑，振奋精神，跑近王座，举起剑就向国王的脖子直刺了过去。国王躲闪不及，被刺破了一块肉。

"啊！"

国王立刻倒卧在王座上，嘴里大声呼救。

"来人呀！救驾呀！我的伤势还轻，快来救我！"

于是，"杀人啦！""王子造反了，王子刺杀国王！"的喊声四处响起，场内立刻闹得天翻地覆。

"不要叫！不要叫！大家镇静下来！"

霍拉旭拔出佩剑，跑近王子身旁，一边保护着王子，一边疾言厉色来镇压。

王子拽起仰卧在王座上的国王的脖子说：

"这杯酒是你自己倒的，你就把它喝下去！你这个万恶不赦的坏蛋！这是你谋杀父王老哈姆莱特的报应！现在知道了吧？"

王子撬开国王的嘴巴，把一大杯毒酒灌了下去。国王只觉得眼前一阵黑，就软绵绵地躺在王座上，奄奄一息了。

哈姆莱特挨近雷盖兹的身旁。

"雷盖兹，你现在已经替你父亲和你妹妹报仇了，总该满足了吧！我死在你的剑下毫不后悔，我会含笑死去的。"

其实王子已经喝下毒酒，就是不被雷盖兹的毒剑刺中，也难免一死的。

"王子殿下，请原谅我！我现在才明白父亲波洛涅斯和克劳狄斯王犯有弑君之罪。我一向错怪您，真对不起！请您准许我随侍在侧，一起做死途的旅行！"

雷盖兹已经不行了，也许是因为安心了，反而比王子要衰弱得快。

"喂！霍拉旭在吗？在哪里？我的眼睛已经看不见东西了。"

霍拉旭急忙奔了过去，抱住王子。

"霍拉旭在这里！您已经认不清我了吗？太悲惨了！王子殿下！"

"唉，霍拉旭！"

"啊！您清醒过来了。振作起来，王子殿下！您不能死呀！您是我们全丹麦国民的希望，是全国国民黑夜里的明灯。"

"现在，我述说遗言。"

场内的群众，现在也明白了到底是怎么一回事，于是鸦雀无声，静观事情的演变。

其中有人在哭泣。

"哦……丹麦的国王我，指定由福京普拉斯殿下即位。他来的时候，由你转告他。……再见了！"

王子的脖子突然失去了支撑的力量，垂了下去。

国王和雷盖兹也都已经变成僵尸了。

霍拉旭放下王子，缓缓地站了起来。

· 135 ·

"王子殿下圣洁的心灵，像玉一般的心，现在已经破碎了。再见！高贵无比的王子殿下！"

霍拉旭以庄严无比的声调说着，热泪滂沱，悲痛欲绝。场内立即响起了一阵悲叹声、号哭声，响声拍击着石壁，发出阵阵的回音。

啊！多么悲惨呀！善和恶都同时灭亡了。艾尔西诺城被悲伤笼罩着，大家都沉浸在悲伤的气氛中。

第二天早晨，穿过晨雾传来了一阵喇叭声和锣鼓声，渐渐迫近了艾尔西诺城。

少尉骑上马急忙跑上城门的瞭望台上，朝城外一看，只见远处沙尘飞扬，有好几万的军马像潮水般涌向这边来。

霍拉旭也爬上了望台来。

"把望远镜借我一下！"

霍拉旭从少尉手中接过望远镜，凝神谛视。

"是挪威的军队！"

"有一个赤裸的勇士跨在马上走在最前端。"

"少尉！跟随在勇士两旁的两个士兵，不就是以前护送王子殿下回国的福京普拉斯殿下的部下吗？这样看来，绝不是敌人了。一定是来援助哈姆莱特王子的福京普拉斯殿下率领的友军哪！"

"少尉！我看这样吧！等他们靠近城门的时候，再问个明白。在情况未明之前，先把城门紧闭，城墙后面配备五百名射手，以防万一。"

正在准备的时候，军队已经拥到城门口了。

最前面赤裸着的勇士说：

"本人就是名震天下的青胡子拉蒙度。为援助贵国的王子哈姆莱特殿下，所以率领挪威王子福京普拉斯的精兵先锋队赶来。你是不是还想阻止我们？"

"原来是福京普拉斯王子的军队。那还有什么问题？现在立刻就大开城门迎接你们进城。本人是哈姆莱特王子的部下，同时也是他的挚友霍拉旭。请进！"

"原来你就是霍拉旭先生。久仰！久仰！"

拉蒙度回过头去发号施令，叫军队立即全部稍息，拿着武器的把武器放下，骑在马上的一律下马。只有一个骑着黑马的年轻勇士，仍旧骑在马上靠近城门而来。那不是别人，正是全副武装的福京普拉斯！

几万军队扎营在城外，大家都忙着架帐幕。

福京普拉斯王子、青胡子拉蒙度，和其他高级幕僚约百来个人，由城门走了进来。

"霍拉旭，快带我去见哈姆莱特王子！"

听了福京普拉斯的话，霍拉旭不觉低下头，黯然神伤。

"到底是怎么一回事呀？霍拉旭，快告诉我！"

"王子殿下！哈姆莱特王子已经在昨天逝世了。"

"啊！哈姆莱特去世了。这是真的吗？"

硬汉福京普拉斯因为这事过于意外，竟也茫然若失。

于是，霍拉旭含泪将王子回国之后的经过，详细讲了一遍。最后，对福京普拉斯说：

"王子在弥留的时候说，要把这个国家交给福京普拉斯殿下统治。说完之后，他就永眠了。"霍拉旭把王子的遗言，传达给挪威王子。

"我们先到王宫里去再说吧！"

福京普拉斯走在前面，他后面是霍拉旭、拉蒙度、少尉和其他军官。

国王、王子、雷盖兹的尸体都已经安放在棺材里，安置在一个木台上面。

丹麦国的贵族和大臣们，也陆续集合在新王福京普拉斯的面前。

福京普拉斯走近木台旁边站住了。

"睡在这里的王子哈姆莱特殿下！您不幸壮志未酬身先死了。如果能够活着统治这个国家的话，必定是一个英明的君主。我现在郑重宣布，要以国王的礼节来为您举行国葬！告诉士兵们鸣放火炮，乐队奏送葬曲！"

乐队奏出悠扬哀伤的音乐。

霍拉旭被任命为大臣，拉蒙度为大将军。紊乱不堪的丹麦，终于迎来了和平的日子。国民都称赞福京普拉斯王的德政，同时也赞扬哈姆莱特王子，称赞他有先见之明，指定福京普拉斯为丹麦的新王。

　　至于哈姆莱特的悲痛故事，还有美丽的奥菲利娅不幸的遭遇，人们不但寄予同情和惋惜之情，而且将故事永远永远地流传了下来。